Anna, eine junge Frau in Ostberlin, geht Mitte der siebzi
ger Jahre als Regisseurin an ein Provinztheater. Zurüc
bleiben ihre Freunde, ihre Mutter, ihre ganze Existen
Und nicht zuletzt Leon, ihr Geliebter. Das einzige Ban
sind Briefe, in denen alles nachklingt, das Theater, da
Berliner Leben, die Familiengeschichte und vor allem die
Liebesverwicklungen in diesem kleinen Kreis. Aus Jer
salem und Moskau weht zugleich der Wind des Unbe
kannten in diese sonderbare Provinz, die alles andere al
idyllisch ist. – »Eine unpolemische, aber auch unerbit
liche Porträtstudie dieses untergegangenen Gemeinw
sens.« (Yaak Karsunke in der ›Frankfurter Rundschau‹)

Barbara Honigmann, geboren 1949 in Ostberlin, stu-
dierte Theaterwissenschaften und war als Dramaturgin
und Regisseurin tätig. Seit 1975 freischaffende Autorin
und Malerin, siedelte 1984 nach Straßburg über. Sie erhielt zahlreiche literarische Preise, u. a. den Kleist-Preis
(2000), den Jeanette Schocken Preis (2001) und den Tob-
lacher Prosapreis Palazzo al Bosco (2001).

Barbara Honigmann

Alles, alles Liebe!

Roman

Deutscher Taschenbuch Verlag

Von Barbara Honigmann
sind im Deutschen Taschenbuch Verlag erschienen:
Roman von einem Kinde (12893)
Damals, dann und danach (13008)

Ungekürzte Ausgabe
September 2003
Deutscher Taschenbuch Verlag GmbH & Co. KG,
München
www.dtv.de
© 2000 Carl Hanser Verlag, München · Wien
Umschlagkonzept: Balk & Brumshagen
Umschlagbild: ›Le Pèse-lettre‹ von Barbara Honigmann
(Mit freundlicher Genehmigung der Galerie
Michael Hasenclever, München)
Satz: Fotosatz Reinhard Amann, Aichstetten
Druck und Bindung: Druckerei C. H. Beck, Nördlingen
Gedruckt auf säurefreiem, chlorfrei gebleichtem Papier
Printed in Germany · ISBN 3-423-13135-7

Anna an Eva

Prenzlau, den 1. November

Liebe Eva!

Das erste Wort, das ich in Prenzlau hörte, war »Zigeuner«. Jemand rief es mir nach, kaum daß ich ein paar Schritte aus dem Bahnhof getan hatte, auf der Suche nach meinem Hotel. Aber soviel ich mich auch umgesehen habe, da war kein Mensch und kein Hotel, weit und breit.

Dann habe ich es schließlich am anderen Ende der Stadt gefunden, am Rande des »Parks des Friedens«, und auf dem Wege dahin ist mein Mut immer tiefer gesunken, und meine beiden Taschen wurden immer schwerer. Die Straße, in der das Hotel liegt, es ist aber bloß eine Kneipe, über der sie noch ein paar Zimmer vermieten, heißt »Straße der Völkerfreundschaft«. Wie könnte es auch anders sein.

Meine Adresse für die nächsten acht Wochen lautet:
21 Prenzlau
Parkhotel
Straße der Völkerfreundschaft 55.

Bitte schreibe mir oft in die Straße der Völkerfreundschaft, Eva. So oft es nur geht. Ich werde Dir auch oft schreiben. Wir sind jetzt völlig aufeinander angewiesen in unserer Zerstreuung.

Irgendwann muß jeder ein erwachsenes Leben beginnen, haben wir doch herausgefunden, an den langen Tagen im »Espresso«, in den langen Nächten in unseren Küchen und in der Volksbühnenkantine Tag und Nacht. Die Frage war nur, wer fängt damit an. Es klang ja auch eher wie eine Aufforderung zum Spiel, besonders aus dem Munde unseres Philosophenkleeblatts, das zwar immer so viel zusammenphilosophiert, aber was Möglichkeit, Notwendigkeit und Wirklichkeit anbelangt, bleibt es eher theoretisch.

Du hast es als erste gewagt, wahrscheinlich weil Du Schauspielerin bist und spielst. Und ich folge Dir jetzt in dieses Abenteuer und finde mich erst einmal an dem Ort wieder, den ich am allermeisten auf der Welt hasse, in der Provinz. Doch wer weiß, vielleicht wird hier etwas ganz Neues beginnen, etwas, worauf man später zurückblikken wird und denken, ja, es hat alles in dieser Provinzstadt angefangen.

Eva, ob wir eines Tages zwischen unserer Faulheit und unserem Größenwahn einen Weg hinaus in ein vernünftiges Leben finden? Ich fühle mich jetzt schon ganz verloren. Faul darf ich hier nicht sein und größenwahnsinnig auch nicht, aber zu etwas anderem bin ich wahrscheinlich gar nicht imstande. O durchwachte Nächte in den Küchen und Kantinen! O alle Mittagsschläfchen meines Lebens! An das »Espresso« denke ich jetzt wie an ein fernes Land hinter dem Meer, und an alle unsere Freunde wie an eine Familie, aus der ich halb entführt und halb verstoßen worden bin. Sind das Symptome des Erwachsenseins?

Nachdem wir uns gegenseitig ein paar Tage observiert haben, hat mir die Theaterleitung gestern einen Vertrag vorgelegt. Auf dem Deckblatt steht, daß ich meine Fähigkeiten als sozialistische Künstlerpersönlichkeit in enger

Verbindung mit der Arbeiterklasse bewußt einzusetzen und mich auch dauernd weltanschaulich weiterzubilden habe.

Steht das etwa auf allen Theaterverträgen? Steht das auch auf Deinem Vertrag?

Im Innenteil sieht es schon viel prosaischer aus. Als Gage für die gesamte Inszenierung bekomme ich 800 Mark, damit dürfte ich noch zufrieden sein, haben sie gesagt, weil Anfänger eigentlich nur 600 Mark bekommen. Dafür muß ich noch zwei Konzerteinführungen halten.

Ich habe den Vertrag heute unterschrieben:

Prenzlau, den 1. November 1975. Anna Herzfeld.

Der Tag, an dem Pasolini ermordet worden ist. Wie mir die Bühnenbildnerin gerade erzählt hat, sie hats im SFB gehört. Ist ja schrecklich.

Bis jetzt habe ich die Tage hauptsächlich mit Besprechungen in der Dramaturgie, in der Schneiderei, in der Werkstatt, mit der Beleuchtung und der »Leitung« verbracht. Bei der Leseprobe habe ich immer ganz allein gelacht, an den Stellen, die ich komisch finde, sonst hat keiner gelacht. Die Schauspieler haben immer nur Fragen rein technischer Art, alles verwandelt sich hier in Technisches, und es gab schon einen halben Skandal wegen eines karierten Kleides, das die Bühnenbildnerin und ich vorgeschlagen haben. Sie ist bis jetzt die einzige sympathische Person hier, außer Lutz, von dem ich aber noch nicht viel gehört und gesehen habe. Sie lebt allein, mit ihrem kleinen Sohn, und hat mir gestern die dramatischen Ereignisse seiner Geburt erzählt. Während der ganzen Zeit ihrer Schwangerschaft lebte sie allein draußen vor der Stadt, mußt Du Dir vorstellen, in einer Laubenkolonie, und als es mit der Entbindung soweit war, lief sie im hohen Schnee zur Telefonzelle, um den Rettungswagen zu holen, und kam nicht richtig vorwärts wegen des hohen Schnees und des dicken Bauchs und der Wehen im Fünf-Minuten-Abstand, und schließlich wartete sie neben der Telefonzelle auf den Rettungswagen und hatte Angst, daß ihr das Kind in den Schnee plumpst. Weit und breit kein Vater und kein Mensch.

Wenn ich nach Hause komme, hole ich meinen Zimmerschlüssel in der Kneipe an der Theke, dann will der Wirt erst mal ein Bier mit mir trinken und fragt mich aus, ob ich Türkin, Italienerin, Kolumbianerin oder, natürlich, Zigeunerin bin. Manchmal antworte ich ja und manchmal antworte ich nein oder zische was von Regisseurin am Theater, als ob das auch ein Volksstamm wäre. Vorhin habe ich ihn gefragt, ob er nicht einen Tisch für mich hätte, einen kleinen wenigstens, auf dem man etwas abstellen kann. Er ist mit mir in den Keller gegangen, und dort haben wir so ein klappriges Ding gefunden, darauf habe ich meine Sachen ausgebreitet, direkt neben dem Waschbecken, weil das der einzige freie Platz ist. Meine Überlebensbatterie auf der einen Seite – Knäckebrot, Nescafé, Joghurts und ein paar Orangen, auf der anderen Schreibzeug, das Textbuch vom »Furchtsamen« und Tusche, Federn, Stifte, vielleicht komme ich ja zwischendurch auch mal zum Zeichnen. Der Tisch wackelt, während ich Dir diesen Brief schreibe. Der erste Brief ist an Dich.

Eva, wir haben nie wieder über den Sommer in der Einsiedelei gesprochen, und es würde mir schwer fallen, darüber zu schreiben. Man sagt ja doch bloß immer Sprüche, das stimmt doch alles nicht, und eigentlich will man etwas ganz anderes sagen.

Das Wichtigste ist, daß wir uns nicht gegenseitig kaputtmachen und daß wir uns nicht wehtun, wenn das möglich ist, und daß wir nicht auseinanderkommen und noch vieles zusammen sehen und erleben, wenn wir uns doch lieb haben.

Deine Anna

Leon an Anna

heute morgen

Du sitzt jetzt noch im Zug und hast sicherlich schon Deine Stulle und den Apfel aufgegessen, die Lektüre der Berliner Zeitung wirst Du auch schon beendet haben, und nun guckst Du aus dem Fenster.

Woran denkst Du, Anna?

Ich dagegen bin nur den ganzen Weg wieder zurückgefahren, von Schöneweide bis Pankow, bin die Florastraße wieder hinunter-, die Pestalozzistraße wieder hinaufgelaufen und habe in der Wohnung die Überreste unseres Frühstücks weggeräumt, Butter in den Eisschrank, Brot in den Brotkasten, Teller in den Abwasch, und als ich dann das Bett gemacht habe, ist mir ganz flau im Bauch geworden, und ich mußte an alles das denken, wovon ich lieber nichts aufschreibe, weil das sonst ein Roman der anderen Art wird.

Der Sommer ist endgültig vorbei, Anna, und der Herbst auch schon beinahe. Am Birnbaum in meinem Hof hängen nur noch zwei Birnen und fast gar keine Blätter mehr.

Ich habe immer noch nicht richtig begriffen, was alles seit dem Sommer geschehen ist, seit diesem wirren Sommer in der Einsiedelei, und noch viel weniger habe ich begriffen, was vorher geschehen ist, vor dem Sommer, bevor Du mich kanntest und bevor mich Heinrich in eure Einsiedelei abgeschleppt hat. Ich habe versucht, es Dir zu erklären, diesen Trieb, einfach alles loszulassen, auch das, was einem noch halbwegs in die Hände gegeben ist. Ich weiß nicht, ob Du es verstehen konntest.

Nun wirst Du schon in Angermünde sein, und die Soldaten im Gang werden schon ihren Kasten Bier ausgetrunken haben, ich hoffe bloß, sie haben Dich in Ruhe gelassen.

Ich werde jetzt den Müll runterbringen und dann zu Herrn Horn rausfahren. Wenn ich dort alles erledigt habe, werde ich einen Umweg über das »Espresso« nehmen, damit ich hören kann, wie Deine Freunde dort Deinen Namen aussprechen, wenn sie von Dir reden.

Ich liebe Dich und ich denke viel zuviel daran und liebe Dich und denke viel zu viel daran und ich liebe Dich, und denke bitte Du auch an

Leon

Anna an Mum

2.11.75

GUT ANGEKOMMEN ALLES IN ORDNUNG BRIEF FOLGT ANNA

Anna an Leon

Lieber Leon, Liebster!

Das Schlimmste ist, daß ich jetzt schon wieder auf einen Brief von Dir warte, obwohl ich gerade eben einen bekommen habe. Der Wirt unten an der Theke hat ihn mir zusammen mit dem Zimmerschlüssel gegeben, einen »Empfang« oder sowas gibt es hier nicht, Du mußt Dir einfach eine Kneipe vorstellen, wo sie oben noch ein paar Zimmer vermieten. Und dann mußt Du Dir noch vorstellen, wie mein Herz geklopft und meine Hände gezittert haben, als er mir Deinen Brief gab. Ich bin wie eine Wahnsinnige die Treppe hochgerannt, in mein Zimmer, habe Tasche, Mantel, Tuch, Schuhe in alle vier Ecken des Zimmers geworfen und mir war richtig schwindlig und schwarz vor den Augen, so daß ich die Schrift fast gar nicht lesen konnte. Das war ein halber Weltuntergang, Dein Brief! Das Kuvert war noch ein bißchen offen, Leon, Du hast nicht richtig angeleckt, da habe ich selbst nochmal an dem Streifen geleckt, weil Deine Zunge daran gewesen ist. Großer ferner Kuß.

Am liebsten würde ich Deinen Brief Wort für Wort abschreiben, um ihn noch mehr in mich aufzunehmen. Leon, ich liebe Dich wie die allerallerdümmste Liese, die vor lauter Liebe alles um sich herum vergißt, alle diese angeblich wichtigen Dinge des Tages und der Arbeit, und losläuft bis ans Ende der Welt, bloß um sich einen Kuß von ihrem Liebsten abzuholen, und dabei sogar Essen und Trinken vergißt und nebenbei noch ein paar Drachen und Ungeheuer besiegt und es gar nicht merkt, und natürlich auch nicht merkt, daß die ganze Welt über sie lacht. Und wenn sie endlich bei ihrem Liebsten angelangt ist und ihren Kuß bekommen hat, schläft sie vor lauter Erschöpfung sofort ein und hört gar nicht mehr, wie ihr Liebster sie fragt, was ist denn mit dir los.

Ja, der Sommer ist gottseidank vorbei. Ich brauche nur aus dem Fenster sehen, jede Minute segelt ein rotes Blatt aus den fernen Gärten vorbei. In der Einsiedelei war es schrecklich. Weil ich so große Sehnsucht nach Dir hatte und eifersüchtig war, so schrecklich widerlich eifersüchtig auf alle die Menschen dort, die ich doch schon so lange kenne, die mir seit ewigen Zeiten vertraut sind, auf meine engsten Freunde, und auf meine beste Freundin sogar. Ich habe mich selber angewidert, und manchmal wäre ich am liebsten einfach abgehauen. Weg von Liebe, Erregung, Eifersucht und auch weg von Freundschaft und Freundlichkeit. Du hast ja auch einmal zu mir gesagt, wenn du schreibst, ist jedes Wort Liebe, und wenn du sprichst, ist jedes Wort Eifersucht. Das ist ja das Schlimme, wenn Du nicht ganz nah bei mir bist, bricht Krieg aus.

Manchmal habe ich Sehnsucht nach einem entschiedenen Rückzug, einem klösterlichen Leben. Sehnsucht nach Tugend, nach Abgeschiedenheit und nach Ruhe, weit weg von den Menschen und von der Sehnsucht nach Menschen und der Wut und den Verwüstungen der Liebe, nach der wir uns alle so sehnen und die unsere einzige Erlösung ist oder zu sein scheint. In diesem klösterlichen Leben würde ich endlich beruhigt sein, nicht mehr so erregt und aufgeregt, ich würde viel lesen und nachdenken und ein bißchen die Erde bebauen und Gemüse anpflanzen, damit ich abends müde bin, und das einzige, was ich jemals mit ins Bett nehmen würde, wäre höchstens mal ein Buch. Lach nur!

Prenzlau wird mein Probekloster sein. Mein Zimmer direkt über der Kneipe ist kärglich, der Tisch schmal, darauf liegt das Textbuch vom »Furchtsamen«. Ich schreibe jetzt auf dem Bett, das auch schmal ist, mit angezogenen Knien, und wenn Du mich einmal hier besuchst und wir zusammen in dem Bett schlafen, wirst Du sagen, es kann ja gar nicht schmal genug sein! Bitte komm mich bloß bald besuchen, denn ich habe jetzt schon so schreckliche Sehnsucht. Brief reicht nicht!

Ich werde versuchen, jedes Wochenende nach Berlin zu kommen. Bitte hole mich dann gleich am Zug ab, damit wir keine Minute verlieren. Ich telegrafiere die Ankunftszeit noch. Wenn wir uns nicht sehr bald wiedersehen, werde ich verrückt oder sterbe. Ich sag ja, dümmste Liese. Und gerade habe ich noch vom Kloster gesprochen! Auch im Kloster werde ich diese Sehnsucht haben, leider. Wie Heloise werde ich schreiben müssen: »Von Gott darf ich keinen Lohn erwarten, da ich nichts aus Liebe zu ihm bisher getan habe: das steht fest.«

Ich küsse, liebe und umarme Dich und sehne mich so sehr nach Küssen, Liebe und Umarmung.

Deine

Anna

Die Haare habe ich jetzt hinten zusammengenommen, weil Du gesagt hast, daß ich sonst aussehe »wie oben abgeschnitten«, also noch zwergenhafter, wie ich verstanden habe. Leon, ich erinnere mich nicht mehr, wie Du aussiehst, ich weiß es einfach nicht mehr, obwohl wir uns doch so oft gesehen haben in den letzten Wochen. Vielleicht aber haben wir uns noch nie richtig, mit einem ruhigen Blick angesehen, ich nicht, weil ich so sehnsüchtig und eifersüchtig war, und Du nicht, ich weiß nicht warum. Du warst immer so zärtlich zu mir, aber ich habe nicht genug bekommen können. Schon, wenn es von allem viel zuviel ist, will ich immer noch viel mehr. Schrecklich!

Eva an Anna

Meiningen, den 4.11.75

Liebe Anna!

Du hast Glück, Dir rufen sie bloß Zigeunerin nach, aber mich nennen sie, weil ich noch diese schreckliche krumme Nase habe, gleich Hexe. Willkommen in der Provinz, Anna! Das ist nun schon meine dritte Spielzeit in Meiningen, und ich habe mich immer noch nicht daran gewöhnt, bin schon so tief gesunken, daß ich tatsächlich überlege, ob ich mir nicht die Nase operieren lassen soll. Wenn ich Dich und Alex und unsere Freunde in Berlin nicht hätte, würde ich es hier gar nicht aushalten. Das Theater ist Schmiere und die Leute sind Schweine, jedenfalls die meisten, Nazis und Antisemiten. Natürlich steht das Rumgesülze von der Arbeiterklasse auch vorne auf meinem Vertrag. Ich habs runtergeschluckt, genau wie ich die Hexe runterschlucke.

Meine Spielzeit hat dieses Jahr gleich mit zwei kleinen Skandalen angefangen. Zuerst habe ich verschlafen und den Zug nach Meiningen verpaßt, mich also an die Autobahn gestellt, um zu trampen, aber es hat so lange gedauert, daß ich erst im Theater ankam, als der erste Akt schon fast vorbei war und ich meinen Auftritt im zweiten (Sophie) nicht mehr schaffen konnte. Du mußt Dir die bösen Blicke und das Gezeter im ganzen Haus vorstellen! Der Zicke, die für mich eingesprungen ist, muß ich jetzt natürlich die Gage bezahlen.

Und als Alex am nächsten Wochenende nach Meiningen kam, hat er sich gleich mit dem fettesten Schauspieler des Theaters in der Kantine geprügelt, weil der mich verdreschen wollte und wieder Hexe gesagt hat. Alex sagt, ich soll mir das nicht immer gefallen lassen, er hat gut reden, weil er ja nicht mit meiner Nase rumlaufen muß. Jedenfalls hat Alex sich also geprügelt, und ehrlicherweise muß ich zugeben, ich hatte dem fetten Schwein auch vorher ein paar Tropfen Wein auf die Glatze getröpfelt. Danach hatte Alex Kantinenverbot.

Heute hatten wir die erste Leseprobe für »Held der westlichen Welt«. Wir haben in der Probebühne gesessen und gelesen, aber nicht miteinander geredet. Alle meiden mich und rennen gleich wieder raus, wenn das Stück zu Ende gelesen ist, und ich bin allein in der kalten Probebühne sitzen geblieben und habe mich zum tausendsten Male gefragt, was ich denn hier bloß verloren habe, was ich hier tue, warum ich das tue, wohin es mich führen wird und wie lange ich das noch aushalte. Ja, Anna, daran wirst Du Dich gewöhnen müssen, der Theaterbetrieb ist vor allem technisch und bürokratisch, ein Betrieb eben, keine Spur von Shakespeare oder Molière. Mir kommen hier alle wie Bürokraten und Funktionäre vor oder bestenfalls wie müde Handwerker, die sich hier festgesetzt haben und jeden Ärger vermeiden wollen. Jeden Anspruch der Kunst und der Komödie haben sie längst aufgegeben, wenn sie ihn denn je hatten.

Das Schlimmste, Anna, ist, daß wir alle so vereinzelt sind. Ein Einzelner aber vermag am Theater auch nicht das geringste ausrichten. Wir müßten zusammen arbeiten und eine richtige Theatertruppe gründen können, wir und all die anderen von unseren Freunden, die genauso einsam und vereinzelt an den Provinztheatern sitzen. Bosch und Heidemarie inszenieren jetzt »Stella« in Schwerin und nehmen Pieter Klein als Bühnenbildner mit, das wirst Du ja gehört haben. Konrad mit Henry und Jaecky aus Magdeburg wollen auch versuchen, sich dort engagieren zu lassen, und ich habe gerade eine Bewerbung für die nächste Spielzeit nach Schwerin abgeschickt und gleichzeitig eine nach Prenzlau. Vielleicht könnte mich Lutz schon vorher einmal als Gast holen. Sprich bitte mit ihm darüber. Ich würde jede Rolle spielen, auch die Hexe im Weihnachtsmärchen, die ich gut drauf habe, weil sie mich schon so oft auf die Rolle besetzt haben.

Wenigstens habe ich hier Klaus, den Russischlehrer, mit dem ich wirklich gut befreundet bin. Er ist lieb und verläßlich, wir gehen manchmal zusammen schwimmen oder wandern, wenn ich mal frei habe. Bis vor kurzem war es ja noch ganz mild hier, man konnte sogar noch auf den Wiesen schmusen, und im Freibad waren wir ganz allein im Oktober. Das Freibad liegt so schön am Berghang, oben ist der Wald und unten liegt die Stadt, und nebenan kann man Äpfel klauen.

Manchmal denke ich an den Mann, der mir das Briefchen geschrieben und zum Bühnenpförtner gelegt hat und den ich nur einmal gesehen habe. Seitdem denke ich an ihn, aber wiedergesehen habe ich ihn nicht.

Der Sommer in der Einsiedelei – es stimmt, wir haben nicht mehr darüber gesprochen. Wahrscheinlich aus Angst, uns weh zu tun, und wegen Leon. Ich war auch in ihn verliebt, ja, leider. Aber ich habe es mir schnell wieder ausgeredet, als ich gesehen habe, was mit Dir los war und daß auch Alex schon eine unglückliche Miene aufgesetzt hatte, und vor allem, weil mir Leon Angst gemacht hat – diese Wunde an seinem Fuß, aus der das Gift rinnt, das er geschluckt hat.

In der Einsiedelei suchen wir Abgeschiedenheit und Einsamkeit, aber wenn wir ehrlich sind, langweilen wir uns dort auch ein bißchen, trotz der Anhänglichkeit aneinander und all der Kunst, die wir entfalten. Wenn dann ein Neuer auftaucht!

Das ist die kurze Chronik unserer Einsiedelei: Erst haben wir das Stück Land gefunden, dann die Hütte errichtet, dem Ort einen Namen gegeben, ihn beackert, bebaut, besiedelt. Tische und Stühle gezimmert, uns alles zurechtgezimmert und zurechtgehämmert, mit den Eingeborenen gehandelt und verhandelt, das Essen von ziemlich weit im Rucksack rangeholt, Obst gepflückt, Feuer gemacht, uns unter die Apfelbäume gelegt und abends bei Kerzenschein »Die Erziehung der Gefühle« gelesen, Immortellenkränze gebunden, die Kunst erfunden, erst die Werkzeuge und Geräte, die man dafür braucht, und dann geschnitzt, gezeichnet, Stoffe und Steine in Skulptur verwandelt. Und dann kam schon die Dekadenz, wie sie immer kommt, und der Verfall der Sitten.

Wir sind eben so eine Art Horde, und das haben wir wahrscheinlich von unseren Eltern geerbt, die haben doch auch immer zusammengehockt, wenn auch nicht ganz freiwillig.

Natürlich werde ich Dir oft schreiben, Anna.

Jetzt zum Beispiel werde ich Dir beschreiben, wie ich gerade wieder bei einer großen Veränderung meines Lebens gescheitert bin. Ich wollte endlich einmal die Stekker und Schnüre in meinem Zimmer so verbinden, daß alle Lampen und Geräte gleichzeitig gehen und leuchten, das habe ich nämlich noch nie geschafft, ich muß dauernd rein-, raus- und umstecken. Ich wollte auch einmal im Bett liegen können, Nachttischlampe an zum Lesen, Radio an zum Hören und Heizkissen zum Wärmen, der Kühlschrank läuft trotzdem weiter, und ich kann eventuell noch ohne weitere Hindernisse den Plattenspieler anwerfen. Viel mehr Ansprüche habe ich ja gar nicht. Also bin ich auf der Erde rumgekrochen, um alles rauszuziehen und wieder neu zusammenzustecken, aber das eine sind Verlängerungsschnüre und das andere sind Doppelstecker, und nichts paßt ineinander, und nie geht alles gleichzeitig – ich stand dauernd im Dunkeln. Meine Uhr ist auch weg! Und vorhin, als ich die Treppe runterrannte, bin ich voll auf den Arsch geknallt! Und nachher muß ich wieder die Sophie spielen!

Anna, ich glaube, wir suchen uns immer untereinander, und wir finden uns immer wieder.

Ich umarme Dich,
Deine Eva

Mum an Anna

Berlin, den 4.11.75

Liebes Töchterchen!
Habe mich sehr über Dein Telegramm gefreut. Bin doch immer in Sorge.

Als heute morgen Frau Kluge zum Saubermachen kam, habe ich sie erst einmal in Deine Wohnung abkommandiert und bin selber mitgegangen, um nach dem Rechten zu sehen. Wenn ich Dir alles nachschicken würde, was

Du, meiner Meinung nach, vergessen hast, müßte ich wohl einen Möbelwagen bestellen. Du bist mit dem dünnen Mantel losgefahren. Es ist November! Man muß seine Kleider auch mal wechseln. Du wirst doch dort nichts waschen können. Frau Kluge und ich haben Deine Wohnung geputzt und auch die Gardinen abgenommen, nächste Woche hängt sie sie gewaschen wieder auf. Beim Nachhausegehen traf ich Deine Nachbarin, ich habe ihr erst einmal ein bißchen über Deine Arbeit am Theater in Prenzlau erzählt. Sie hatte nämlich keine Ahnung, wo Du abgeblieben bist. Anna, ich finde, daß Du Dich um ein freundliches Verhältnis zu Deinen Nachbarn bemühen solltest, auch wenn sie nicht Dein Stil und Spießer sind. Sie werden Dich sonst hochmütig finden, und nicht ganz zu unrecht. Man sollte im Leben etwas Bescheidenheit lernen. Ein bißchen nachbarschaftliches Zusammenleben kann auch für Dich nur von Nutzen sein.

Du weißt, daß auch ich ein offenes Haus führe und viel Besuch habe, aber bei Dir, weil Du eine alleinstehende junge Frau bist, sehen die Leute das mit anderen Augen. Natürlich sind sie Spießer! Und auch damit mußt Du Dich in irgendeiner Form arrangieren. Das mit dem schlafenden Holländer vor Deiner Tür finde auch ich etwas übertrieben. Deine Nachbarin hat mir empört davon erzählt, und ich habe eine Erklärung zusammengelogen, die sie beruhigt hat. Vielleicht könntest Du mich bei Gelegenheit einmal darüber aufklären, was es mit dem schlafenden Holländer vor Deiner Tür auf sich hatte.

Auf der Straße habe ich auch gleich Alex getroffen, er sagte, daß er eigentlich einen ganz guten Eindruck von dem Oberspielleiter (Rolf oder Lutz Günzel oder Kunzel oder so ähnlich?) hat und Ihr Euch ja alle schon von der Volksbühne kennt. Er versprach auch, nächste Woche vorbeizukommen und mir das Sinn und Form-Heft zu bringen (Lateinamerikanische Literatur), das ich nicht mehr bekommen habe. Ich hebe es für Dich auf, brauchst also nicht danach rumzurennen. Am 10. fahre ich nach Wien und danach nach Altaussee, wie immer. Bitte mache mir noch eine Liste mit allen Deinen Wünschen. Ich hoffe, Du hast alle Dankesbriefe geschrieben für die letzten Geschenke von den Wiener Freunden. Falls nicht, tue das bitte umgehend!

Ich halte Dir die Daumen. Sei vernünftig, übernimm Dich nicht. Vergiß nicht zu essen!

Lots of love
    Mum

P.S. Die Tochter der Nachbarin hat mir das Briefchen für Dich zugesteckt, das ich beilege.

Katja an Anna

2.11.75

Liebe Frau Herzfeld!
Mir tut es leid, daß Sie weg sind. In unserem Hause wird es jetzt ruhiger werden, sagt meine Mutti, aber ich hoffe, daß Sie bald wiederkommen. Meine Mutti ist gerade auf Parteiversammlung, und ich bin allein zu Hause und langweile mich. Meine Schularbeiten habe ich schon gemacht und im Fernsehen gibts nichts und deshalb schreibe ich Ihnen jetzt einfach einen Brief. Ich muß Ihnen nämlich unbedingt von unserem Auftritt mit dem Chor in der Kongreßhalle erzählen, für den wir schließlich wo-

chenlang geprobt hatten, wissen Sie ja! Zuerst mußten wir geschlagene zwei Stunden auf der Bühne stehen, und erst nachdem dreizehn Schüler nicht durchhielten, es ihnen schlecht oder schwindlig wurde und sie nacheinander die Bühne verließen und wir dann dreizehn weniger waren, durften wir uns endlich auf der Bühne auf den Boden setzen, denn unser Auftritt war noch lange nicht dran. Der Boden war aber sehr sauber, muß man sagen. Dann sang Gisela May. Ein Lied über den Frieden. Es hat mir sehr gut gefallen. Dann sang der Oktoberklub, und dann sangen noch viele andere Gruppen, aus der DDR und ausländische. Besonders haben mir die Chilenen gefallen, mit dem Lied »Venceremos!« (Wir werden siegen!). Das war richtig toll! So mitreißend!

Der Saal war ganz voll mit Studenten und FDJlern, und es fehlten nur noch die Vietnamesen und Erich Honecker mit der ganzen Staatsführung, und es war auch noch unruhig im Saal. Aber als dann plötzlich Erich Honecker mit der ganzen Staatsführung und den Vietnamesen in den Saal trat, war sofort Ruhe, einsame Stille, wie bei einer Trauerfeier. Dann standen alle von ihren Plätzen auf und sahen aus wie Ameisen. Nun wurde fünf Minuten lang geklatscht. Ich dachte, meine Hände fallen ab. Aber es ist doch schön, so was auch mal erlebt zu haben.

Und wie geht es Ihnen? Ich lege Ihnen noch eine Zeichnung dazu, wie ich gerade aussehe. Habe mich vor den Spiegel gesetzt. Wegen der Adresse rufe ich nachher bei Ihrer Mutter an. Ich würde mich sehr freuen, wenn Sie mir auch mal schreiben. Hoffentlich gefällt Ihnen die Zeichnung.

Ich wünsche Ihnen viel Erfolg und Spaß in Prenzlau. In Berlin ist das Wetter kalt, aber nicht kalt genug zum

Schlittschuhlaufen. Meinethalben könnten 10 Grad minus sein.

Viele Grüße aus der Arthur-Becker-Straße sendet Ihnen
Ihre
Katja

Alex an Anna

Berlin, den 5.11.75

Liebes Annalieschen!
Ich hoffe, Du bist gut in Prenzlau angekommen, der
Schock der Provinz war nicht zu groß und Deine ersten
Begegnungen mit den Schauspielern und Kollegen erfolg-
reich. Auch Du, Lieschen, mußt jetzt eine Rolle spielen!
Als Anordner oder wenigstens Ordner. Schauspieler sind
eine Horde Affen, die dressiert werden wollen und die
wissen müssen, wer der Herr ist und daß er eine Peitsche
in der Hand hält. Wenn Du sie das nicht von der ersten
Minute an spüren läßt, werden sie Dich zerreißen. Ich
will Dir kcine Angst machen, aber aus der Höhe meiner
Kulissenschieberperspektive und vom Herumsitzen und
ein bißchen Zusehen und ein bißchen Mitdiskutieren
sage ich Dir, Skandal und Herumschreien gehören schon
dazu!

Wie sind denn die anderen so? Der Dramaturg, Assi,
Bühnenbildner? Lutz wird doch hoffentlich ein wenig
die Hand über Dich halten?

Lieschen, ich hoffe, Du hast die Kraft, die Du brauchst,
um eine Theaterinszenierung durchzustehen, und findest die Konzentration, die dazu nötig ist, und denkst
nicht dauernd an diesen gräßlichen Leon. Ich kenne Dich
doch und weiß, wie Du Dich in solchen Sachen vollkom-

men auflöst. Du weißt, daß ich diesen Leon gräßlich finde, er macht nämlich alle Frauen unglücklich, ist ein Nichtsnutz, ein Angeber, ein Möchtegerndandy und ein Provinz-Don Juan. Er hat unser Leben in der Einsiedelei völlig durcheinandergebracht. Wie konntest Du denn bloß auf den hereinfallen?

Ich spreche nicht aus Eifersucht. Als Du mich wegen des kleinen Matti verlassen hast, war ich eifersüchtig. Inzwischen ist der kleine Matti nach Jena »delegiert« und man hört nicht mehr viel von ihm. Dafür haben wir zusammen mit Eva unsere zärtliche Freundschaft erfunden, um die uns alle beneiden, und so ist es auch gut, ich bin Dein Freund und ich bin Evas Freund und werde das auch immer bleiben, und Du kannst ansonsten so viele Männer haben, wie Du willst, aber nicht diesen gräßlichen Leon, der paßt nicht zu Dir, nicht zu uns, er gehört einfach nicht zu uns und besonders nicht zu Dir.

Weißt Du, Lieschen, ich habe mich schon immer gefragt, warum bei euch Frauen die Herzensangelegenheiten so schamlos im Zentrum eures Lebens stehen, jedenfalls bei Eva und Dir habe ich das so beobachtet, als ob ihr an das Leben nur die einzige Frage stellt: »Wer liebt mich?« Habt ihr keine anderen Fragen? Interessiert es euch denn z.B. gar nicht, ob das Wesen einer Sache notwendigerweise in seiner Erscheinung wahrnehmbar ist oder ob das Wahre zugleich mit den Attributen der Schönheit ausgestattet sein muß oder ob und was es mit Bestimmung und Benennung auf sich hat? Fragen, wie wir Philosophen sie uns stellen, besonders wir vier im »Espresso«, die drei Peter und ich. Einer von uns muß immer den Tisch verlassen, aus Protest, weil der andere wieder einmal eine völlig unhaltbare Meinung von sich gegeben hat, den Lauf der Welt betreffend, zu idealistisch oder zu materialistisch, dann muß er aufstehen und sich an einen anderenTisch setzen, wo Nichtphilosophen sitzen, die alles schon viel weniger ernst nehmen. Aber bald vermischen sich die Tische wieder, und richtig ernst nehmen wir ja schon lange nichts mehr. Und da auch sonst, wie immer, nichts passiert, kann ich Dir jedenfalls bestätigen, daß »Anna in Prenzlau« mindestens zwei Tage Gesprächsthema war. Sogar die Kellnerin hat gefragt, wo die »kleine Schwarze« ist, nachdem Du eine Woche schon nicht mehr erschienen warst.

Bitte vergiß die Bernarda-Proben nicht. Carlos, der jetzt auch jeden Tag im »Espresso« sitzt, weil er in Leipzig fertig ist, hat angeboten, uns einmal das Stück interlinear zu übersetzen und etwas über Lorca vorzutragen, da er ja über ihn promoviert hat. Er meinte, bei einer neuen Übersetzung des Stückes, wie wir uns das ausgedacht hatten, gäbe es Schwierigkeiten wegen der Rechte, aber da unsere Arbeit ja nicht öffentlich ist, wäre es eventuell auch egal. Darüber werden wir noch beraten. Ich rufe Dich in den nächsten Tagen an oder schicke Telegramm, wegen Termin, jedenfalls treffen wir uns wie immer in meiner Wohnung, und ich hoffe, daß sich alle gut vorbereitet haben, so daß wir bald mit richtigen Proben anfangen können. Ich finde übrigens, es darf für uns gar keine Frage und nicht weiter wichtig sein, ob wir das Stück nun tatsächlich aufführen werden oder nicht, obwohl einige ja darauf drängen. Jedenfalls ist unser »off-Theater« Stadtgespräch, das kann ich Dir versichern. Dauernd fragen mich Leute, ob das stimmt, daß wir einen Lorca im Zimmer aufführen, und alle wollen plötzlich mitmachen. Aber wir sind die Avantgarde, und die anderen sind bloß Mitläufer und Nachäffer, und ich gebe ihnen kühl zu verstehen, daß ihr Interesse ein bißchen spät kommt. Heinrich allerdings sucht noch ein bis zwei Leute für Bühnenbild und Kostüm, da er selbst »überlastet« ist, weil er sich auf ein Ausstellungsabenteuer im VEB Elektrokohle eingelassen hat. Ich kann nur hoffen, daß es nicht allzu schief gehen wird.

· Morgen oder übermorgen werde ich auch noch einmal bei Deiner Mutter vorbeigehen, bevor sie nach Wien fährt. Neulich habe ich sie auf der Straße getroffen, und sie hat mich gleich gefragt, was sie mir aus Wien mitbringen soll, welche Bücher usw. Das finde ich sehr nett von ihr. Wir verstehen uns wirklich sehr gut, Deine Mutter und ich, sind ja auch beide »Kämpfer gegen den Faschismus«, wenn ich auch nur als Baby im Säuglingsheim gekämpft habe, verbindet es uns doch.

So, mein Lieschen,
es grüßt Dich
Alex

P.S. Eben im Radio gehört: Franco abgekratzt! Wo er doch gerade noch die DDR anerkannt hat.

Anna an Leon

Donnerstag
Ich schreibe Dir schon wieder, Liebster, obwohl ich Dir ja eben erst geschrieben habe und eigentlich furchtbar viel zu tun hätte in Sachen des »Furchtsamen«, aber ich habe gerade einen großen Sehnsuchtsanfall und kann mich nur beruhigen, wenn ich Dir schreibe, nur in die-

sem Moment, jetzt, wenn ich die Worte suche und sie auf das Papier schreibe, wenn ich Dich suche und mich dabei finde. Die Ruhe hält aber nur so lange an, bis ich den Brief zum Kasten bringe und ihn einwerfe, und vielleicht noch ein paar Stunden danach, so lange, wie ich denke, daß der Brief unterwegs ist. Aber dann weiß ich nicht mehr, wo und wann »unterwegs« ist, und die Unruhe und Sehnsucht fängt gleich wieder an, das Warten, die Antwort zu bekommen, schnell alles zu hören, was ich mir von Dir zu hören wünsche, daß Du mich liebst und willst und schön findest und wie Du mich liebst und willst und schön findest. Wenigstens muß ich Deine Schrift bald wiedersehen, das einzige, was mir jetzt noch von Dir geblieben ist, Abdruck und Enthüllung Deines Körpers und Deiner Seele, nach denen ich mich so sehr sehne, die ich will und liebe, obwohl ich sie noch so wenig kenne, aber eben ersehne. Dich, Deinen Körper und Deine Seele. Ich habe einmal gehört, daß, wenn es in der Bibel heißt »er erkannte sie« und eigentlich gemeint ist, sie haben miteinander geschlafen, daß es nicht bedeutet, miteinander schlafen sei wie erkennen, sondern genau umgekehrt, erkennen ist wie miteinander schlafen. Sich nähern und nahe sein, fühlen und zu fühlen bekommen, vertraut werden und sich anvertrauen, begreifen, in die Tiefe gehen.

Ist schön, nein?

Bitte, Liebster, es ist dringend, schreibe mir bald wieder, nur damit ich Deine Schrift wiedersehen kann, und weil ich sie so liebe und brauche, ist es auch ganz egal, was in Deinem Brief steht. Schicke mir auch mal eine Zeichnung, sieh in den Spiegel und zeichne Dich und wirf die Zeichnung ausnahmsweise bitte nicht in den Papierkorb, sondern stecke sie in einen Briefumschlag und schicke sie mir nach Prenzlau in die Straße der Völkerfreundschaft.

In jeder Stunde, in der ich keinen Brief von Dir bekomme, Leon, sinkt mein Mut tiefer und tiefer. Ich sehe überall nach, wo ein Brief oder eine Nachricht von Dir gelandet sein könnte, frage den Wirt unten im Hotel an der Theke und muß dann wieder ein Bier mit ihm trinken, aber er hat immer noch nicht herausgekriegt, wo ich herstamme, oder beim Pförtner im Theater, und wenn kein Brief von Dir da ist, bin ich gleich ganz verzweifelt und weiß fast gar nicht mehr, wie ich überleben soll, obwohl ich mir dauernd Deinen ersten Brief auswendig aufsage, die Wörter, die Du in den Briefkasten geworfen hast und die in meinem Kopf wieder auferstanden sind. Jeden Tag, jede Stunde, jede Minute möchte ich einen Brief von Dir bekommen, verstehst Du das nicht?

Am besten wäre es ja, wenn ich jetzt in einen Sinnes- und Seelenwinterschlaf verfallen könnte, während mein Geist weiterarbeitet, oder vielmehr mein praktischer Verstand, denn wo nämlich im Theater die »Kunst« steckt, habe ich bis jetzt noch nicht herausfinden können.

Ich müßte mich konzentrieren, auf den »Furchtsamen«, die Schauspieler, das Theater. Als ich noch zu Hause saß oder unter dem Baum in der Einsiedelei, als ich noch allein war mit meinem Textbuch, habe ich mir so viel ausgedacht, aber jetzt, hier sieht alles ganz anders aus, als ich es mir in meinem Kopf vorgestellt habe. Daran kann ich mich schwer gewöhnen.

Auf dem Weg, den ich jeden Tag vom Hotel zum Theater gehen muß, steht so ein Kombinat, über dem Tor ist natürlich eine Losung angebracht, darauf steht JUGEND VEREINIGT EUCH!

Wir doch bitte auch.

Ich liebe Dich, Leon,

Anna

Und ich liebe noch die Flora- und die Pestalozzistraße, die Nummer 22, Deine Wohnung, Dein Zimmer, Dein Bett, Deinen Hof mit dem Birnbaum und die Arbeiter von der Möbeltischlerei, die darunter sitzen.

Bald schreibe ich Dir auch einmal einen richtigen Brief, in dem Du etwas erfahren wirst, einen Bericht also von meinem Leben und Beruf.

Ilana an Anna

Riga, 25. 10. 75

Liebe Anna! Wir reisen übermorgen aus. Ich melde mich wieder. Einen letzten Gruß aus Riga sendet Dir

Ilana

mit Avi und Menachem-Mendl

Anna an Mum

6. 11.

Liebe Mum!

Hier schnell die Liste:

Schallplatten:

Eric Clapton, »461, Ocean Boulevard«

J. J. Cale, »Really«

Bob Dylan, »Desire«

Neil Young, »Harvest«

Bücher:

Gershom Scholem/Walter Benjamin, »Die Geschichte einer Freundschaft« (oder so ähnlich)

Zwetajewa Gedichte, Ausgabe von Wagenbach (Quarthefte), Übersetzung von Christa Reinig

Und bitte umsehen, was es sonst Interessantes gibt, bin ja nicht ganz auf dem laufenden, Walter wird es wissen, er soll Dich beraten.

Palmers: 2 BHs, weiß und schwarz,

einen Bikini, am besten zwei gleiche, weil ich immer einen Teil irgendwo verliere,

Strumpfhosen, soviel wie möglich,

Schokolade und Zigaretten soviel wie möglich, kennst ja meine Marken.

Schokolade und Zigaretten bitte auch für Eva, Alex und Leo.

Kugelschreiber, Zeichentusche, Skizzenblock A 3, schwachkörnig

Natürlich habe ich mich schon lange bei allen für alles bedankt. Hoffentlich habt ihr in Altaussee einigermaßen schönes Wetter, und ihr müßt die Weltlage nicht immer drinnen im Gasthaus besprechen, sondern lieber am Altaussee oder wie der See heißt.

Ich habe zwar nur den dünnen Mantel hier, aber dafür mehrere Pullover, ich komme ja sowieso öfters nach Berlin zurück und kann wechseln. Bitte mach Dir keine Sorgen, daß ich erfriere. Vielen Dank, daß Du mit Frau Kluge in meiner Wohnung aufgeräumt hast, das war vollkommen überflüssig! Mich meinen Nachbarn gegenüber wohlzuverhalten ist auch sinnlos, sie legen in jedem Falle alles gegen mich aus und schnüffeln mir nach. Die Energie, die ich für die Anpassung ausgeben würde, kann ich woanders brauchen. Nur die kleine Katja ist lieb und kommt manchmal zu mir hoch. Das mit dem schlafenden Holländer vor meiner Türe erkläre ich Dir später einmal. Völlig harmlos.

Grüße alle Freunde in Wien sehr lieb von mir. Sollen wieder nach Berlin kommen, damit ich sie auch sehen kann.

Ich habe eine Karte von Ilana aus Riga bekommen. Sie reist aus. Hast Du Neuigkeiten aus Moskau?

Mit der Arbeit geht es so, ich muß mich erst daran gewöhnen, so viel gleichzeitig machen zu müssen.

Alles Liebe,

Anna

Anna an Eva

Prenzlau, den 9. November

Liebe Eva!

Hoffentlich hast Du inzwischen alle Schnüre entwirrt, neu verbunden, Licht in das Dunkel gebracht und bist nicht etwa als »Sophie« noch auf den Arsch geknallt.

Ich fühle mich hier auch so, als ob ich lauter verwirrte Strippen in der Hand hielte und Licht ins Dunkle bringen müßte. Da stehe ich inmitten von lauter Leuten, die ich gar nicht kenne und die mich nicht kennen, die sehen mich an und warten auf meine Erleuchtung, sie wollen von mir wissen, wie die Strippen verbunden werden, wie es gehen soll und was tun. Von mir wollen sie das wissen! Vielleicht habe ich mir das vorher nicht ganz richtig vorstellen können, was ich da zu bewältigen habe, eine Inszenierung, in der Rolle des Ordners und Anordners, wie Alex das nennt. Ich hatte ja auch gedacht, daß ich irgendwie mit Lutz zusammenarbeiten würde, aber davon kann gar keine Rede sein, er muß ja seine »Oberspielleiterrolle« spielen, und daneben inszeniert er »Jegor Bulitschow« für das Abendprogramm und ich eben das Weihnachtsmärchen für die Nachmittagsvorstellungen und Abstechertouren zwischen Angermünde und Pasewalk und die Weihnachtsfeiern in den Betrieben. Er hat mich immerhin unterstützt, das Stück als Weihnachtsmärchen, was es ja nicht ist, durchzukriegen und die Leitung zu überzeugen, daß man nicht immer nur »Die Schneekönigin« spielen muß. Ich bin Alex wirklich dankbar, daß er mir den »Furchtsamen«, ein ganz frühes Stück des Wiener Volkstheaters, fast noch Commedia dell'Arte, ausgegraben hat. Zugestimmt haben sie hier nur, weil sich seit dem Gastspiel von Strehler in der Volksbühne das Commedia-dell'Arte-Fieber sogar bis nach Prenzlau verbreitet hat, obwohl unsere Meinungen schon bei der ersten Besprechung völlig auseinandergingen, wie man etwas für Kinder aufführen soll und kann. Dabei ist das Stück albern und lustig, mit Hanswurst, der üblichen Liebesintrige, blödem Vater, vertrotteltem Heiratskandidaten, bloß am Ende, kurz bevor es noch gut ausgeht, stellt sich, genau wie bei »Nathan der Weise«, heraus, daß die Liebenden Geschwister sind. Genau wie beim Nathan fügen sie sich natürlich, aber ich frage mich immer, wie sie denn damit nun fertig werden wollen und was man sich vorstellen soll, wie das jetzt weiter geht. Sogar Hanswurst muß völlig überflüssigerweise auf seine Geliebte verzichten. Mit der Bühnenbildnerin habe ich besprochen, daß wir das in einem »offenen Schluß« vielleicht noch arrangieren können, je nach Laune der Kinder und des Abends. Mit ihr zusammen tobe ich mich manchmal in der Phantasie aus, wir wirbeln das Stück sozusagen in der Luft herum, auf unseren Spaziergängen um den See, während wir ihren kleinen Sohn ausführen, der damals doch nicht in den Schnee neben der Telefonzelle geplumpst, sondern ordentlich im Kreiskrankenhaus Prenzlau zur Welt gekommen ist. Man kann aber nicht wirklich einen vollen Kreis um den See herum ziehen, weil der Weg am Ende plötzlich verwachsen und dornig ist, dann muß man wieder umkehren und denselben Weg zurückgehen. Kurz vor dem dornigen Ende gibt es eine HO-Gaststätte, sogar mit einer Veranda zum See, natürlich geschlossen. An der geschlossenen Tür die Mitteilung, daß die »gastronomischen Freiflächen« erst ab Sommer 1976 »versorgungswirksam« werden, und der kleine Sohn der Bühnenbildnerin fängt natürlich genau in diesem Moment vor dem geschlossenen Restaurant zu quengeln an, wegen Hunger und Durst und weil ihm kalt ist, und für alle drei Fälle hat seine Mutter nichts vorhergesehen. So gehen wir in dem kalten Herbstwind – denn weil es hier so flach ist, weht immer ein schrecklicher Wind – den Sechs-Siebentel-Kreis um den See zurück, das Kind quengelt, und der Wind heult. Vielleicht, weil man das in der Stadt ja nie richtig erlebt, sind eigentlich der Herbst, das Herbstlaub und der Wind das, was mich hier am meisten beeindruckt, und der Blick auf die flache Provinzstadt, wenn man zurückläuft. Alles hier ist flach, gerade und eben, nur in der Mitte der Stadt erhebt sich ein Berg, das ist der Dom, wenn er auch fast völlig zerstört ist wie alles in diesem Land, in das unsere bescheuerten Eltern glaubten, unbedingt zurückkehren zu müssen. In diesen Scherbenhaufen, in dem sie sich doch bloß alles aufgerissen und sich wehgetan und alles andere, bloß kein Glück gefunden haben. Wie kann man sich auch Glück in einem Scherbenhaufen suchen, oder was haben sie gesucht, glaubst Du?

Ich nehme an, Du weißt, daß Stefans Mutter im Regierungskrankenhaus aus dem Fenster gesprungen ist. Deine Eltern haben sie doch ganz gut gekannt, glaube ich, noch aus Leeds, während des Krieges. Stefan hat mir erzählt, daß sie fast noch ein Kind war, als sie mit einem der letzten »Transporte« der Jugend-Alija, mit einem Ruderboot, von Holland nach England kam. Jetzt war sie gerade 51 geworden. Als ich neulich mit Leon auf dem Friedhof in Weißensee spazierengegangen bin, da haben wir plötzlich vor so einer riesigen, pompösen Familiengruft gestanden, FAMILIE ROTHMANN, und unter all den Namen war da auch schon ihrer eingraviert, Eva Rothmann. Als hätte sie nun wieder in ihre Berliner Großbürgerfamilie zurückkehren dürfen.

Findest Du nicht, daß man Stefan manchmal noch diese großbürgerliche Herkunft anmerkt, in seinem lässigen Auftreten, immer zwischen Großzügigkeit und Herablassung, und der Art, wie er uns stets ein bißchen herumkommandiert und sowieso alle anderen als Parvenüs betrachtet, um nicht zu sagen, verachtet. Jetzt hängt er mit den drei Peters im »Espresso« herum, sucht Arbeit und wundert sich, daß er als nichtmarxistischer Philosoph keine findet.

Eva, jetzt ist es schon sehr spät in der Nacht. Morgen früh muß ich mich als erstes mit dem Dramaturgen treffen, dann geht das Theater weiter. Der Dramaturg heißt übrigens Jörg Kratz (sic!), und wir verstehen uns überhaupt nicht, wegen jeder Kleinigkeit kriegen wir uns in die Haare. Ich habe das Gefühl, er will mir überhaupt nur beweisen, daß ich es als Regisseurin sowieso nicht schaffe und daß ich mir erst einmal meine Berliner-Clique-Überheblichkeit abschminken soll. Wahrscheinlich verfolgt er auch Karrierepläne, die ich natürlich nicht kenne, und vielleicht habe ich auch schon irgendwelche Spielregeln verletzt, die ich allerdings auch nicht kenne, und manchmal denke ich auch, »er will was von mir« und ist beleidigt, weil ich nicht darauf eingegangen bin, denn am Anfang haben wir uns noch manchmal unterhalten, er hat was von sich und seiner Familie und seinen Eltern aus der Lausitz erzählt, gegen deren Willen er zum Theater gegangen ist, und von der Lausitz spricht er überhaupt dauernd, im Guten oder Schlechten, mit echten Heimatgefühlen. Ich wollte ihm einmal fast sagen, daß ich jüdisch bin und solche Gefühle nicht kenne, aber dann wußte ich wieder mal nicht, wie ich es herauskriegen soll, und habe es lieber für mich behalten. Das ist doch immer so ein schrecklicher Moment, weißt ja.

Obwohl es schon so spät ist, lärmt es noch von unten aus der Kneipe. Jeden Tag Krach bis zwei Uhr nachts. Vorher zieht hier sowieso keine Ruhe ein, und da schreibe ich dann meine Briefe oder zeichne oder tusche mit dem chinesischen Pinsel und der Sepia, die mir Leon zum Abschied geschenkt hat, und wenn ich tusche oder zeichne, tauchen plötzlich auch wieder Gedanken auf, die in der Geschäftigkeit und den Problemen des technischen Ablaufs schon untergegangen waren. Zum »Furchtsamen«, zu »Bernarda« und überhaupt zu unserem Leben, was wir tun sollten oder müßten, damit wir es nicht ganz verfehlen und doch noch einen Platz für uns finden, an dem wir es vielleicht bis zum Ende aushalten und nicht aus dem Fenster springen müssen wie Stefans Mutter.

Über der Wunde an Leons Fuß klebt ein großes Pflaster, das er jeden Tag wechseln muß. Wir machen darüber einen Witz oder »bemerken es gar nicht«. Ich frage ihn natürlich nicht aus nach »dieser Sache«, und er sagt auch nichts, nichts jedenfalls, was er uns nicht schon in der Einsiedelei gesagt hätte, eine stereotype Erklärung, die er wie auswendig hersagt. Aber ich bin verliebt und liebe ihn. Was soll ich denn da machen?

Eva, bis bald!

Deine Anna

Schaffst Du es zu den Bernarda-Proben?

Leon an Anna

sehr spät

Du weißt nicht mehr, wie ich aussehe, Anna?
Also wollte ich Dir ein Bild mitschicken, bin extra zum Bode-Museum gefahren, aber natürlich hatten sie keine Postkarte vom Doryphoros, von dem Du meinst, ich würde ihm ähneln. Das hast Du in Deinem Überschwang ja schon in der Einsiedelei dauernd gesagt, wo wir alle nackt herumgelaufen sind wie im Paradies. Jedenfalls gab es die Karten nicht, und eigentlich – schön ist er zwar, der Doryphoros, aber oben und unten ist er auch ganz schön kaputt.

Dann habe ich noch einen Satz von einem ganz dummen Schriftsteller aufgelesen:

»Für den Liebenden ist die Abwesenheit die allersicherste, die allerlebendigste, die wirksamste, die unzerstörbarste aller Gegenwarten und die treueste.«

Sagt, wie gesagt, der Schriftsteller. Habe ich gelesen.

Nun hat der Birnbaum auch noch die letzten beiden Birnen abgeworfen. Die anderen haben die Arbeiter, die Du liebst, schon zu ihren Stullen in den Pausen aufgegessen. Und das ist auch gut so. Ich meine, ich finde das gut so. Die Birnen waren gelb und rot und sahen schön aus zwischen den grünen Blättern, als sie noch am Baum hingen, die grünen Blätter und die Birnen. Die sahen reif aus und waren es wohl auch. Eine kleine, späte Sorte.

Aber nun ist alles herunter, Blätter, Birnen.

Die Beckmann-Zeichnung sieht sich suchend nach Dir um.

Liebste Anna, die Losung ist gut an dem Kombinat. Ja, das wollen wir! Natürlich.

Immerfort!

Dein Leon

Anna an Alex

Prenzlau, 10. 11.

Lieber Alex!

Würdest Du bitte aufhören, Matti den »kleinen« Matti und Leon den »gräßlichen« Leon zu nennen. Bitte führe Dich nicht als mein Papa auf! Wenn Du meine Mutter besuchst, könnt ihr euch gerne gemeinsam Sorgen über mich machen, aber verschont mich bitte mit euren Ratschlägen.

Daß Du mir viele Männer zugestehst, finde ich sehr nett von Dir, und ich werde Dein Angebot großzügig ausnützen. Danke! Aber auch diese Bemerkung finde ich ziemlich unpassend, genauso wie Deine Beobachtung, mein Leben würde angeblich nur um die Frage, wer liebt mich, kreisen. Wollen wir uns gegenseitig vorzählen und vorhalten, wer wieviele Männer oder Frauen hatte, als ob wir nicht beide wüßten, was das für ein trauriger Wettbewerb ist? Im Sommer, in der Einsiedelei, haben wir alle gemerkt, wie wir an die Grenzen dessen gestoßen sind, was wir uns zumuten können, und das hatte nichts mit Leons Auftauchen zu tun.

Wir nehmen uns diese Freiheiten, weil wir keine anderen haben, darin sind wir eine Art Spiegelwelt zu »Bernarda Albas Haus«, das haben wir übrigens oft genug auf den Proben gesagt, denn wir leben in einer ähnlichen Starre und ewigen Sehnsucht und Hoffnung nach »draußen«. Oder nicht?

Im übrigen ist Freundschaft auch schwieriger als Liebe. Es ist oder scheint mir schwieriger, jenseits von Liebe Vertrauen zueinander zu gewinnen, vielleicht, weil das Herz die körperliche Nähe leichter aufbewahren kann, weil es selbst Körper ist.

Alex, dafür, daß Du Eva und mir die zärtliche Freundschaft beigebracht hast, verdienst Du viele vaterländische und ausländische Orden, und Du kannst mir auch glauben, daß ich unsere Nächte jetzt vermisse, in Deinem, meinem oder Evas Bett, wenn wir die Nacht durchdiskutieren und schmusen und Du uns am Ende, zum Einschlafen, »Materialismus und Empiriokritizismus« vorliest. Gottseidank werden wir nie erfahren, was in dem Buch steht, weil die beruhigende Wirkung so umwerfend ist.

Alex, laß doch einfach alles, wie es ist, und gib mir keine Ratschläge, sei nicht eifersüchtig und laß mich bitte einfach eine Weile in Ruhe. Natürlich werde ich versuchen, immer zu den Bernarda-Proben zu kommen, das geht aber jetzt erst einmal nur am Wochenende. Wir sehen uns also schon nächsten Samstag, und dann erzähle ich Dir auch noch im Detail, wie es hier läuft. Lutz zeichnet sich bis jetzt durch wohlwollende Gleichgültigkeit aus, etwas mehr hatte ich doch von ihm erwartet.

Bis ganz bald!

Dein Lieschen

Anna an Leon

Mittwoch

Liebster!

Den Satz von dem dummen Schriftsteller möchte ich wirklich nicht noch einmal hören. Das ist vollkommener Quatsch und Blödsinn. Gerade gut für einen Roman. Ich jedenfalls wünsche mir Anwesenheit und Gegenwart. Und was wünschst Du Dir? Bitte sei mir nicht abwesend und nicht entfernt, bitte schreib mir, bitte erzähl und rede mit mir, bitte höre mir auch zu, bitte schweige und verstumme nicht, bitte bestrafe mich nie mit Deinem Stummsein, denn wenn Du Dich abwenden und verstummen würdest, könntest Du mich auch gleich schlagen, bitte warte auf mich und umarme mich mit Deinen Armen, Beinen und mit Deiner Seele, und bitte halte mich nicht für eine Versagerin, wenn ich hier vielleicht scheitere, obwohl es jetzt gerade erst losgeht, und ich werde es schon schaffen, bloß wie. Und bitte, würdest Du mir meine Schuhe von der »Flinken Jette« am Alexanderplatz abholen. Geh bitte hin und sage: »Ich möchte die Schuhe meiner Geliebten abholen, ihr Name ist Anna, der Abholzettel ist leider verloren gegangen.« Aber Deine Geliebte braucht die Schuhe gerade jetzt, wo sie immer unterwegs ist, dringend.

Und bitte hole mich am Samstag am Bahnhof ab, um 17.24 im Schöneweide!

Anna

Eva an Anna

Meiningen, den 13.11.75

Meine liebe Anna!

Nein, zu den Bernarda-Proben kann ich, jedenfalls im Moment, nicht kommen. Ich muß ständig ins Theater wegen irgendwelcher Kleinigkeiten, obwohl ich in dieser Spielzeit außer der Witwe kaum was Anständiges zu spielen bekomme. Und das macht mich natürlich traurig. Ich komme mir so oft vollkommen überflüssig und fremd vor, ich kann hier auch eigentlich mit gar niemandem sprechen, mir hört sowieso keiner zu, alle erzählen immer dasselbe von ihren Familien und von Welten, die mir fern erscheinen, und es ist mir, als hätte ich schon lange nichts Zusammenhängendes mehr erzählt. Manchmal schreibe ich eine Geschichte, allein deshalb, um noch etwas Zusammenhängendes herauszubringen. Zeit habe ich zwischen den Kleinigkeiten im Theater ziemlich viel, zum Schreiben, Briefeschreiben und Nachdenken.

Klaus ist lieb, aber leider ist er blond.

Ich habe mir einen Plattenspieler gekauft und mir von Klaus eine Bach-Flöte-Cembalo-Platte geborgt. Sie ist sehr schön. Ich höre sie abends, und morgens höre ich sie auch. Ich bin dann nicht mehr so traurig, es steigt sogar eine Art Mut in mir auf, und manchmal denke ich ja auch, daß in unserem Leben noch große und wichtige Dinge geschehen werden, die wir meistern müßten und werden. Aber wenn die Platte zu Ende ist, fürchte ich gleich wieder, daß wir statt dessen bloß immer weiter eingezwängt herumtappen und ewig nur herumrudern, um uns ein wenig freien Raum zu verschaffen.

Morgens, auf dem Weg zum Theater, muß ich am Gefängnis vorbeigehen, dann versuche ich, in die Zellen hineinzusehen. Das ist natürlich unmöglich, doch manchmal sehe ich die Männer, wenn sie einen Zaun bauen oder dastehen und warten, dann kommt ein Laster und holt sie ab, wahrscheinlich zur Arbeit, und ich frage mich, was sie wohl verbrochen haben, und wende meinen Blick ab.

Heute nachmittag war ich in dem kleinen Museum, habe das Arbeitszimmer vom alten Georg angesehen, nebst Kostümen und Bühnenbildmodellen der alten Meininger. Es war aber ganz kalt und dunkel in den Räumen, für die wenigen Museumsbesucher lohnt es sich wohl nicht, die Heizung anzustellen, und sie wollten mich erst gar nicht reinlassen, weil es schon zu spät sei. Zwei alte verfrorene Tanten wollten's mir verbieten.

Wenn Klaus vorbeikommt, kocht er mir was Schönes, und hinterher wäscht er auch ab, manchmal räumt er mir sogar das ganze Zimmer auf, danach sieht es etwas blond aus. Manchmal hören wir die Bach-Flöte-Cembalo-Platte, und manchmal sagt er mir ein russisches Gedicht auf, von Blok oder Jessenin, er ist ja Russischlehrer, und manchmal schlafen wir miteinander und bleiben uns trotzdem fremd.

Gestern abend saßen wir in der Kneipe, da hat sich eine alte Frau zu uns gesetzt, an der alle Knöpfe falsch geknöpft waren, ihre Haare hingen unfrisiert herunter und betrunken war sie auch. Sie hat angefangen zu erzählen und nicht mehr aufgehört. Das letzte Mal habe sie mit einem Mann geschlafen, als sie 33 Jahre alt war, und jetzt sei sie 65, und der Mann damals, mit 33, der sei ihre große Liebe gewesen, aber er habe sie verlassen und kaputtgemacht, und der Mann, von dem sie schon vorher ein Kind hatte, hat sie auch verlassen, und nachdem sie von allen Männern verlassen war, konnte sie die ganze Liebe, auf der sie sitzengeblieben war, nur noch auf ihren Sohn werfen, und sie habe ihn so sehr geliebt, bis der sie nur noch hassen konnte, und der Sohn sei jetzt auch 33, aber vor ein paar Wochen habe er sich aufgehängt.

Anna, ihr müßt unbedingt »Bernarda« weiter proben, ich wäre so gern dabei. Es ist so wichtig, daß wir etwas zusammen arbeiten, denn wir müssen auch einmal Dinge nach unserem Maß tun und uns nicht weiter immer nur beugen und alles runterschlucken, bis wir schließlich genau so eingesperrt und erstarrt leben wie in Bernardas Haus. Und sollten unsere Energie auch nicht ewig in Liebesdramen, unseren bisher einzig gelungenen Inszenierungen, vergeuden und uns darin verausgaben und verlieren, weil wir sonst nichts zu tun finden und nichts zustande bringen und uns immer nur durchwursteln, geschützt von unseren Eltern und deren gutem Ruf, obwohl sie doch selber so ungeschützt sind. Denn wenn sie auch noch so viele Verdienstorden tragen, wissen sie, glaube ich, auch nicht mehr so richtig, woran sie sich außer an ihren krummen Nasen noch festhalten können.

Stefans arme Mutter hat einmal gesagt, »exile is no return«. Daran habe ich sofort denken müssen, als ich hörte, daß sie aus dem Fenster gesprungen ist. Wir haben sie damals draußen in Biesdorf besucht und in ihrem Garten gesessen, mit meiner Mutter und meinem Onkel aus Südafrika – das war nämlich der Grund des Treffens, ein Wiedersehen mit Onkel Gerhard, der mit ihnen zusammen in Leeds gewesen war, und da hat sie diesen Satz gesagt bzw. aus einem Buch vorgelesen, dann aber wurde selbstverständlich über das Thema nicht weiter gesprochen. Nur wir haben nachher in der Küche, beim Abwaschen, weiter darüber geredet, Stefan, mein Cousin John (Kongo-Baby!) und ich. Darüber, wie jung unsere Eltern gewesen sind, damals in Leeds, jünger als wir jetzt, und was wir denn eigentlich mit ihren Geschichten anfangen. Das Reden in der Küche hat uns gutgetan, fanden wir, »weil uns ja sonst keiner versteht«. Auch Kongo-Baby hat das bestätigt, mein Cousin aus Südafrika.

Ich glaube, unsere Eltern sind in Wirklichkeit nie aus ihrem Exil zurückgekehrt, und alles, was sie sich eingeredet haben über »Neuaufbau« und »Neubeginn« in der alten Heimat, war ein noch größerer Selbstbetrug als ein »beginning anew« in den Ländern des Exils, in England, Amerika oder Südafrika, wo wenigstens ihre Kinder vielleicht eine Chance haben werden. Ich habe oft gehört, daß die Rabbiner nach der Vertreibung der Juden aus Spanien eine Rückkehr in dieses Land für alle Zeiten verboten haben, und diese Entscheidung finde ich einleuchtend und vernünftig, weil es sozusagen das Gebot ist, du sollst dir keine Illusionen machen. Wenn die Gojim, wie so oft, glauben, sich unbedingt von uns trennen zu müssen, ist diese Trennung dann immer gewaltsam und irreparabel, und beide, die Juden und die Gojim, gehen aus dieser Trennung verstümmelt hervor. Eine Verstümmelung mag nach fünfhundert Jahren etwas weniger schmerzen, aber heilen können Verstümmelungen nicht. Das abgehackte Bein wächst ja bekanntlich nicht nach.

Meine Mutter hat tausendmal erzählt, wie sie nach Berlin in die Wohnung ihrer Eltern zurückgekommen ist, die

Eltern waren vergast worden und in der Wohnung sitzen widerliche Deutsche und behaupten, alles gehöre ihnen, die Wohnung, die Möbel, Teppiche, das Geschirr und die Standuhr, alles, was ihren Eltern gehört hatte. Sie haben sie aus ihrer eigenen Wohnung rausgeschmissen, die widerlichen Deutschen, und haben noch geklagt über die Bomben und wie schlecht es ihnen ginge. Seitdem ist meine Mutter so cholerisch und verrückt, und mein Vater, bei dem es so ähnlich war, ist ganz und gar versteinert. Wenn Du wüßtest, wie schrecklich das für mich ist, daß sich meine Mutter immer so verrückt aufführt. Als sie ihren Handstand im Foyer der Staatsoper vorgeführt hat, habt ihr euch alle totgelacht, aber ich wäre am liebsten vor Scham in den Erdboden versunken. Ich bin inzwischen selbst diese schreckliche Mischung aus cholerisch und versteinert, und mein Vater und meine Mutter sprechen ja schon seit zehn Jahren nicht mehr miteinander. Wenn ich allerdings zu meinem Vater komme und seine blonde goische Frau sehe, die ich nur mit Mühe von der vor fünf Jahren unterscheiden kann, habe auch ich Lust, rumzuschreien und vor Wut Handstand mit Überschlag zu machen, versteinere aber statt dessen. Früher haben wir uns noch gestritten, über politische Sachen, weil er immer alles verteidigt hat, aber jetzt vermeiden wir solche Themen einfach, und ich absolviere meine Besuche bei ihm als eine Pflicht. Wir sitzen uns versteinert gegenüber, während seine Frau quasselt, wir hören ihr beide nicht zu, und wenn die Besuchszeit endlich abgelaufen ist, gibt er mir, bevor ich wieder gehe, noch ein bißchen Geld und sagt, ich soll mir mal was Anständiges zum Anziehen kaufen, das fasse ich jedesmal als Beleidigung auf, nehme das Geld aber trotzdem.

Anna, weißt Du, ich glaube, Deine Mutter ist nicht so verrückt, vielleicht weil sie schon erwachsen war, als sie wegmußte, schon einen ausgebildeten Charakter und einen Beruf hatte. Jedenfalls habe ich sie sehr gerne. Aber man hat ja immer die Eltern der anderen gerne. Vielleicht auch, weil sie der erste Mensch in meinem Leben war, der mich als Erwachsene behandelt hat. Ich habe mich heute noch nicht von dem Schock erholt. Grüß sie bitte.

Ach Anna, ich möchte Dich jetzt so gerne sehen. Ich habe Dir noch so viel zu erzählen. und ich möchte hören, was Du sagst.

Wie Du das machst, daß Du immer so schrecklich verliebt bist, weiß ich wirklich nicht, aber ich wünsche Dir Glück mit Leon und Mut für den »Furchtsamen«!

Deine Eva

Leon an Anna

20 Uhr 30

Anna, meine Liebste!
Berlin ist ja so groß, und Du bist so klein! Ich wollte pünktlich am Bahnhof sein, und ich war pünktlich am Bahnhof. Aber ich habe Dich nicht gefunden. War es nicht der richtige Zug? Habe ich die Ankunftszeit falsch gelesen? Haben wir uns etwa verpaßt? Dabei hatte ich sogar die abgeholten Schuhe von der »Flinken Jette« mit, weil ich dachte, Du wolltest sie vielleicht gleich anziehen, weil sie wärmer sind. Da stehen sie jetzt auf dem Tisch. Und ich habe es auch ganz laut gesagt bei der »Flinken Jette«, daß die Schuhe von Anna sind und Anna meine Geliebte ist. Ich hab die vielleicht ange-

brüllt: »Damit das klar ist!« Dann bin ich bei Dir vorbeigefahren und habe bei Dir geklopft, es kam mir so vor, als ob ich drinnen Stimmen gehört hätte, da wollte ich lieber nicht reinkommen und habe nicht weiter geklopft. Ich hoffe jetzt, daß Du zum Schlafen zu mir kommst, wozu habe ich Dir sonst den Schlüssel gegeben.

Ich muß jetzt noch mal weg, es kann auch spät werden. Wenn ich wiederkomme, mache ich kein Licht an und hoffe, daß Du in meinem Bett liegst, dann will ich Dich nur streicheln, und Du sollst mich festhalten. Anna, halte mich fest!

Guck Dir jetzt mal den Birnbaum an.

Und, Anna, sollst erst mal essen, mußt essen, nimm alles, was Du findest, und stell den elektrischen Ofen an, wenn Dir kalt sein sollte.

Ich schreibe Dir noch ein Gedicht auf, von W. C. Williams:

Die Tathandlung

Da standen die Rosen im Regen.
Ich bitt Dich, schneid sie nicht ab.
Sie werden sich nicht halten, sagte sie.
Aber sie sind so schön, wo sie sind.
Ach, schön waren wir alle einmal, sagte sie
und schnitt sie ab und gab sie mir
in die Hand.

Meine liebe Anna.
Ich komme wahrscheinlich spät,
vielleicht auch sehr spät.
Ich liebe Dich.

Ich liebe Dich und umarme Dich.
Ich liebe Dich und küsse Dich.
Ich liebe Dich und muß jetzt abhauen.

      Leon

Anna an Leon

         Viertel zehn
Liebster!
Den Birnbaum im Hof habe ich mir angesehen. Jammer-
voll! Genauso jämmerlich fühle ich mich auch. Hab mich
so abgehetzt, vom Theater zum Zug, bin gerade noch auf-
gesprungen, lebensgefährlich! Aber Du warst nicht am
Bahnhof, da bin ich in meine Wohnung gegangen, und
kaum war ich zur Tür rein, kamen tatsächlich Klaus und
Thomas und Sanda vorbei und mußten mir sofort unbedingt eine Platte vorspielen und mehrere Bücher zeigen,
wir saßen also in der Küche und haben diese Platte
gehört und geredet, wahrscheinlich habe ich das Klopfen
nicht gehört. Dann sind sie in die Volksbühne weitergezogen, um noch Heiner, Fritz und Co. die Platte vor-
zuspielen, aber ich habe ein Taxi genommen und bin
hergefahren und hab auch gegessen und das elektrische
Öfchen angemacht. Aber wo bist Du?

 Wo mußtest Du so dringend hin? Du wußtest doch,
daß ich heute komme!

 Warum machst Du das, Leon?

 Ich fühle mich hier nicht zu Hause, wenn Du nicht da
bist, auch wenn es geheizt ist und ich mir gerade noch
einen Tee gemacht und mich aufs Bett gelegt habe. Bin
immer noch nicht zu Hause. Sogar meine eigenen Bilder
kommen mir hier fremd vor.

Leon, weißt Du übrigens, wenn ich sie gerade so ansehe, finde ich, das sind die besten Bilder, die ich je gemalt habe. Habe sie Dir geschenkt. Wenn ich einen liebe, will ich ihm nämlich gleich alles hintragen und alles verschenken. Gleich soviel Überschwang, Anna! sagt meine Mutter dann immer. Aber ich liebe Dich doch. Immer diese Aufregung, Anna, sagt meine Mutter auch.

Bist Du etwa nicht mehr aufgeregt?

Sag's nur.

Vielleicht waren wir immer zu hastig und hitzig, immer wie beim ersten oder letzten Mal.

Sag doch mal was.

Siehst Du meine Bilder an, wenn Du hier allein bist? Das, wo ich dastehe und hinten fließt der Jordan, und vor dem dunklen Himmel steht die schwarze Schrift. Der Satz, den ich lieber nicht wiederholen will. Und das, wo wir beide auf dem Bett liegen, Du auf dem Rücken, ich auf dem Bauch, und wir sind beide nackt, aber wir berühren uns nicht.

Will nicht mehr hier rumsitzen. Werde jetzt runtergehen, eine Runde drehen, bei Deiner Mutter oder bei Alan und Crille vorbeigehen.

Vielleicht bist Du dann später schon zurückgekehrt.

23.30 Uhr

Bist immer noch nicht da. Will nicht mehr warten und nicht allein in Dein Bett gehen. Fahre jetzt in die Wohnung meiner Mutter, weil Du mich dort noch anrufen kannst. Alan und Crille sagen, sie hätten Dich heute vormittag gesehen. Mit Tini. Crille gehts schlecht. Alan auch. Wie immer.

Deine Mutter war damit beschäftigt, Ordnung zu machen, Dein Bruder saß auf dem grünen Sofa, unter den »Seerosen« von Monet, kerzengerade, genau auf Achse ausgerichtet. Weil ich ihn so selten sehe, habe ich, wie wahrscheinlich alle Menschen, eine Art Angst vor ihm, oder zumindest Scheu, ihn anzusehen oder gar anzusprechen. Deine Mutter aber sagt einfach zu ihm, red nicht so'n Quatsch, wisch dir lieber den Mund ab, oder sowas. Er hatte einen Teller mit belegten Broten vor sich, einer geviertelten Tomate, einem geachtelten Apfel und ein paar Weintrauben, die er gerade durchzählte, und hat »Tach« gesagt, und ich habe auch »Tach!« gesagt, und er wiederholte gleich nochmal ganz begeistert »Tach«, wußte aber meinen Namen nicht, und Deine Mutter sagte, is doch Anna, Leons Freundin, und hat mir auch Apfel, Tomate und Weintrauben angeboten. Aber ich wollte ja bloß wissen, ob sie weiß, wo Du bist. Natürlich wußte sie es nicht.

In Deiner Wohnung fühle ich mich jetzt wie bestellt und nicht abgeholt. Passe gar nicht in Deine Einrichtung, glaube ich, wo sonst alles zu allem paßt und so auserlesen ist. Wie kann man nur so einen guten Geschmack haben, Leon! Wo alle diese schönen und wertvollen Dinge finden, in dieser häßlichen Stadt? Die Gallé-Vase, die da vor mir steht, mit dem Immortellenstrauß, den wir der Einsiedelei gepflückt haben. Die Beckmann-Zeichnung! Ich habe ja noch nie mit der Zeichnung eines großen Meisters in einem Zimmer geschlafen. Morgens wachst du auf, und da beobachtet sie dich schon. Nicht du siehst die Zeichnung an, nein, sie sieht dich an! Und der Van der Velde-Schreibtisch. Das KPM-Porzellan.

Ich weiß, daß das Deine Geheimnisse sind und Du

darüber nicht weiter reden magst. Wo es herkommt und wo es hingeht. Aber ich habe es sowieso schon begriffen – die Herr-Horn-Connection. Ist ja auch gut so. Ich meine, ich finde das gut so. Du sollst ihn unbedingt ausnutzen, diesen großen Vorteil, den Du vor allen anderen hast, denn die meisten Menschen können Schönheit ja nicht erkennen, weil sie nichts Auffälliges an sich hat und sich nicht hervortut. Bist ja auch selber so schön, und wir beide zusammen wahrscheinlich ein Paar wie Apollon und Zwerg Nase.

Dabei sagt meine Mutter auch oft zu mir, »ein bißchen auf sich achten muß man schon«.

Warum schreibe ich Dir jetzt diesen Brief, so einen langen Brief, und warum bist Du nicht da?

Wo bist Du denn eigentlich?

Denke doch an JUGEND VEREINIGT EUCH!

Habe ich vielleicht was Falsches gesagt?

Getan?

Bist Du mir wegen irgendetwas böse?

Liebst Du mich nicht mehr?

Wo bist Du und was tust Du gerade in dem großen Berlin?

Ich habe auch nicht so viel Sicherheit in mir. Bin ängstlich.

Willst Du vielleicht auch gar nicht mehr mit mir schlafen in dem Bett?

Jetzt geh ich also.

Bitte rufe noch an, auch wenn es sehr spät ist, ich stelle das Telefon neben das Sofa, auf dem ich schlafe, und dann kann ich ja noch ein Taxi nehmen und wieder nach Pankow kommen.

Anna

Fräulein Eva Gelb
Theater Meiningen

Meiningen, den 14. 11. 75

Zur Premierenfeier »Nathan der Weise« waren Sie anschließend gemeinsam mit Ihrem Bekannten Gast in unserer HOG »Theaterklause«.

Ihr Bekannter beschädigte in der Garderobe mit den Füßen den Garderobentisch, so daß die Vorderplatte eingetreten wurde und von uns repariert werden mußte.

Wir bitten Sie, die Rechnung in Höhe von 46,35 M auf das Konto Nr. 2071-14-10 bei der IHB Meiningen zu überweisen.

Klick
(Betriebsdirektor)

Anlage: 1 Rechnung

Eva an Anna

Meiningen, den 15. 11. 75

Liebe Anna, jetzt muß ich Dir erzählen, was unser Alex wieder angestellt hat. Er war zur »Nathan«-Premiere hier angereist. Das fette Schwein, mit dem er sich neulich geprügelt hat, spielt Nathan den Weisen, wer sonst. Die Zicke, die mich vertreten hat, als ich die Vorstellung verpaßt habe, und der ich das Honorar aus meiner Tasche zahlen mußte, spielt die Recha. Ich spiele in dem Stück nicht mit. Wir haben uns also, Alex und ich, die Vorstellung angesehen, schließlich kann ich es mir auch nicht ganz mit den Kollegen verderben. Wie betulich, traulich und tränig es war, brauche ich Dir nicht zu beschreiben. Danach Premierenfeier – Alex fängt zu trinken an, beschimpft alle, schreit rum. Dann rennt er raus und tritt vorher noch den Garderobentisch ein, wo sich die Leute ihre Plastepelzmäntel holen. Raus auf die Straße, ich hinterher, und draußen, in der Kälte, im Dunkeln, Schimpfen, Schreien und Aussprache über alles, was in den letzten zehn Jahren geschehen ist, wir bibbern, zittern und klappern vor Kälte mit den Zähnen, denn unsere Mäntel konnten wir nicht holen, weil Alex ja randalieren mußte, und dann rennt er zur Hauptstraße, wo die Straßenbahn langfährt, und wirft sich quer über die Schienen, legt sich lang, streckt Arme und Beine aus, bleibt liegen, rührt sich nicht, sagt, daß er überfahren werden will, er hätte alles satt. Alles! Die Provinz! Die miesen Typen in der Provinz! Berlin! Die miesen Typen in Berlin! Die ganze Misere! Die Scheiß-DDR! Die Enge! Die Starre! Das Unglück! Die Lügen! Das ewige Runterschlucken! Die Kunst! Das Theater! Die Philosophie! Freundschaft! Liebe! Die ganze Clique! Das »Espresso«! Die Einsiedelei! Und Dich sowieso! Und mich am allermeisten!

Ich flüstere ihm zur Beruhigung alle lieben Worte ins Ohr, die mir nur einfallen. Alexlein! Alexleinchen! Bist doch unser liebster Alex! Unser Schönster, Klügster! Keine Reaktion. Dann brülle ich ihn an, was denn das jetzt für eine Nummer sein soll, mit allen Schimpfworten, die ich nur kenne, von Angeber bis Arschloch, und er könnte mich mal – nichts zu machen. Schließlich habe ich versucht, ihn einfach von den Schienen zu schieben, zu wälzen, zu rollen, aber besoffen und schwer, wie er war, kriegte ich ihn einfach nicht von der Stelle. Es kam allerdings auch weit und breit nichts angefahren, das einer

Straßenbahn auch nur im entferntesten ähnlich sah, und auch kein Auto. Um die Zeit fährt in Meiningen nämlich gar nichts mehr! Gerettet also. Oder besser gesagt, die Tragödie fiel einfach wegen mangelnder Beteiligung von Schicksalsmächten aus. Dann war Alex auch erschöpft, und ich war es auch, und nachdem er noch ein bißchen geschnauft, geschnieft und gemeckert hatte, sagte er irgendwann, na komm, gehn wir nach Hause. Unsere Mäntel von der Garderobe kriegen wir allerdings erst wieder, wenn ich die Rechnung bezahlt habe. Also ab ins Bett. Ich hab ihm zu Hause noch Kamillentee gekocht und ein bißchen aus »Materialismus und Empiriokritizismus« vorgelesen zum Einschlafen, mit bewährter Wirkung, und dann hat er auch schon bald ruhig vor sich hin geschnarcht.

Anna, vielleicht sagst Du ihm lieber nicht, daß ich Dir das erzählt habe. Ach, unser Alex ist ganze fünf Jahre älter als wir und ist doch unser Kind. Ich glaube, wir sind alle noch Kinder und werden einmal über Nacht als Großeltern aufwachen.

Wenn Alex kommt, verzieht sich übrigens mein Klaus, weil es dann erst einmal mit dem Häuslichen vorbei ist, das er so liebt. Leider bin ich ja tatsächlich genau das Gegenteil davon, die reine Auflösung. Ich verliere, verlege und verbummele alles, alles kommt mir weg, verschwindet und kehrt nie zurück, obwohl ich ganze Tage damit verbringe, zu suchen und zusammenzusuchen. Manchmal denke ich, ob sich alle diese verlorenen Dinge vielleicht durch einen Sog in einer Art Gegenwelt wieder ansammeln und dort auf mich warten? Da hätte ich schon eine ganze Villa voll verlorener Sachen!

Klaus sagte neulich zu mir, er wundere sich, wie oft ich Briefe zum Briefkasten trage.

Und nachher muß ich wieder die Sophie spielen.
Grüße und Liebe
von Eva

Leon an Anna

17. 11. 75
ANNA LIEBE NIEMALS STOP ANRUFE ODER BRIEF
FOLGT LEON

Alex an Eva und Anna

Berlin, 17. 11.

Liebe Eva, liebe Anna!
Ach, die ewigen Vorwürfe! Anbei, Eva, der Scheck über
46,35 Mark und, na gut, ich entschuldige mich für die
Vorkommnisse auf der Hauptstraße.

Euch beiden geht es immer schlecht, aber auch mir
geht es manchmal schlecht. Könnt Ihr Euch das vorstellen? Ihr sagt immer, ich sei Euer Kind, aber mir scheint
eher, ich sei Euer Vater, der sich keine Schwäche leisten
darf. Und ehrlich gesagt, manchmal habe ich das satt. Ich
habe es sogar manchmal satt, Euer treuer Freund zu sein,
dem man alles zumuten darf und der sich nicht zu bekla-
gen hat. Sogar Eure Mütter haben mich zu ihrem Freund
erklärt, Eure Klaus' und Leons oder wie sie gerade heißen, nehmen die nämlich überhaupt nicht ernst, und denen schütten sie ganz bestimmt nicht ihr Herz aus, und
ob Ihr denen Euer Herz ausschüttet, bezweifele ich auch,
ich meine, Euren Klaus' und Leons oder wie sie gerade
heißen. Ihr fühlt Euch immer allein, einsam, unglücklich
und haltlos, Eure Mütter fühlen sich auch immer allein,

einsam, unglücklich und haltlos und sind es ja vielleicht auch. Und ich? Wie fühle ich mich eigentlich? Habt Ihr Euch das auch schon mal gefragt? Ihr rennt Euren Provinzlehrern und Provinz-Don Juans nach und phantasiert Euch Liebesromane zurecht. Provinzromane! Ihr könnt ja soviel rumphantasieren, wie Ihr nur mögt, aber erwartet bitte nicht von mir, daß ich das auch noch ernst nehme.

Ansonsten fehlt Ihr mir. Ich sehe mich auf der Straße immer nach meinen beiden schwarzen Schönheiten um. Seid aber nicht da. Seid so weit weg. Wo Ihr doch so klein seid und immer so großen Blödsinn macht, daß ich Euch manchmal deswegen anschreien muß.

Eva, Du hast einmal gesagt, unsere zärtliche Freundschaft zu dritt müßte leicht, aber fest sein, und noch was davon gefaselt, daß alles Gute überhaupt immer leicht und fest zugleich sein müßte, weil das Schwere eben unerträglich ist, während das Leichte zerfließt, zerrinnt und sich rasch in Luft auflöst. Das klingt ja richtig schön, geradezu ein bißchen nach Philosophie (solltest Du bei Hegels »Ästhetik« etwa erst später eingeschlafen sein als bei »Materialismus und Empiriokritizismus«?) und ist für fast alle Verhältnisse gültig, aber das ist vor allem eine Frage der Balance, und ob wir die Balance halten können, wir alle hier, meine ich, und was das Gegengewicht wäre, das ist die Frage.

Nachher gehe ich zu Thomas, wegen der Bücher, und dann gehen wir zusammen bei Heiner vorbei, Thomas hat ihm mein Stück (Rummel und Bummel) gegeben, er hat es tatsächlich gelesen und will nun mit mir darüber reden. Ich zittere ein bißchen davor, weil wir ja sonst nur in der Kantine rumalbern, und nun auf einmal eine Begegnung als »Kollegen«. Ich sehe mich doch immer noch als Kulissenschieber.

Anbei für jede von Euch ein Protokoll vom letzten Bernarda-Treffen.

Eva, ich hoffe, es geht alles in Ordnung wegen der eingetretenen Garderobe in der Theaterklause. Falls das fette Schwein Nathan der Weise wieder Hexe zu Dir sagt, laß es mich wissen, dann komme ich mit dem Rache-Expreß und schlage ihm diesmal die Fresse ein!

Umarmung von

Alex

Anlage 1:

Protokoll des Bernarda-Treffens vom 15.11.75
Anwesend: *Sanda, Anna, Helga, Ric, Wera, Katy, Gaby, Einar, Alex, Heinrich*

Sanda: Bernardas erstes Wort heißt »Ruhe« und das letzte heißt »Schweigen«.

Das ist es, was wir spielen müssen, dieses Schweigen und die unendlichen Entfernungen zwischen den Personen und die unendliche Entfernung nach »draußen«.

Ric: Die Bewegungen also, bzw. die verhinderten Bewegungen in den Zwischenräumen.

Wera: Jedenfalls dürfen wir nicht auf die Worte setzen. Die Worte sind Nebensache oder Lüge.

Gaby: Auf dem Theater sind Worte immer Nebensache.

Alex: Eben.

Helga: Der Text, den wir da vor uns haben, ist das nicht vielleicht eine schreckliche Übersetzung? Vieles klingt, jedenfalls in meinen Ohren, so kitschig-katholisch.

Alex: Ich überbringe übrigens hiermit die Nachricht, daß sich Carlos anbietet, uns den Text einmal im Original vorzulesen und uns das ganze Stück interlinear zu übersetzen, Zeile für Zeile.

Alle: Prima! Tolle Idee! Soll unbedingt kommen! Das wird uns gut tun! Pasaremos!

Gaby: Kennt ihr übrigens den: Steigt ein Mann in Dresden in die Straßenbahn und will zum Salvador-Allende-Platz ...

Heinrich: Kennt jeder ... Weiter.

Einar: Ihr seid völlig unseriös.

Alle: Na, was denn sonst? (*Gekicher*)

Alex: Im Spanischen klingt der Titel an »Ein Puppenheim«, also »Nora« an. Sagt Carlos. Lorca habe viel von Strindberg gelernt. Um nicht zu sagen, abgeguckt.

Sanda: Das merkt man allerdings.

Wera: Etwa nicht von Tschechow?

Ric: Kein Schriftsteller dieses Jahrhunderts hat nicht von Tschechow abgeguckt. Schon gar nicht im Theater.

Katy: Er ist eben der Größte.

Helga: Und warum spielen wir dann eigentlich nicht Tschechow?

Heinrich: Eben drum. Weil er der Größte ist. Willst du dich da ranwagen?

Anna: Und warum nicht O'Casey? Da kann man wenigstens mal lachen.

Alex: Jetzt ist aber Schluß, das haben wir abgestimmt.

Gaby: Außerdem gibt es nur bei Lorca so viele Frauenrollen.

Helga: So einfach sind die Dinge manchmal.

Einar: Vielleicht können wir jetzt zum Thema zurückkehren.

Sanda: Jedenfalls müssen wir noch eine andere deutliche Sprache als die der Worte finden. Gesten, Geräusche, Körpersprache. Die Räume zwischen den Körpern und den Dingen – eine Choreografie.

Katy: Das haben wir in den Arbeitsgruppen ja schon ausprobiert. Schlafen, sticken, putzen, trinken, sich umkreisen und belauern. Es geht sehr gut. Ein Ballett von behinderten Frauen.

Helga: Vielleicht sollten wir auch die Parallelhandlung, die verdeckte Liebesgeschichte mitspielen oder zeigen.

Alex: Das müßten wir auch mal ausprobieren.

Wera: Für mich ist der wichtigste Satz im Stück: »... damit nicht ein Grashalm von meiner Trostlosigkeit erfahre.«

Ric: Das ganze Stück handelt davon, daß Sklaven nur die Sklaverei lieben können.

Anna: Diese ganzen Geschichten von Sklavenaufständen sind auch bloß Märchen.

Gaby: Spartakus und Thomas Müntzer, ich möchte mal wissen, wer die erfunden hat.

Wera: Wahrscheinlich Ernst Thälmann!

(*Gelächter, Heiterkeit, Witze-Erzählen, Kekse-Essen*)

Einar: Pause beendet. Weiter.

Sanda: Diese Zerstörungswut, die aus dem Unglück und der Einsamkeit kommt! Sehnsucht und Entsagungslust reichen doch nicht aus zum Leben. Ich sage euch, diese Frauen lieben nur die Unterwerfung und die Sklaverei.

Helga: So eine wie diese Martirio würde, wie alle Märtyrer, die Welt zerstören, wenn sie könnte.

Katy: Ich glaube, wir sind uns alle einig, daß wir kein Mitleid mit den Frauen haben und daß wir von Bernarda Albas Töchtern nur das Schlimmste erwarten dürfen.

Sanda: Meint ihr, draußen lebt man und drinnen geht man kaputt? Das stimmt doch irgendwie auch nicht ganz.

Wera: Nein. Draußen ist es unerträglich und drinnen ist es vollkommen steril.

Ric: Ich glaube, was wir spielen wollen und müssen, ist: nicht »die Gesellschaft« ist schuld, sondern jeder ist selber schuld.

Katy: Wie wahr!

Anna: Genau!

Wera: Stimmt!

Helga: So ist es!

Sanda: Das sage ich ja.

Alex: Ihr habt ja so recht.

Einar: Da sind wir uns ja alle einig!

Gaby: Das gibts doch nicht! Und wie ist das mit der Sternschnuppe? Es steht etwas geschrieben, aber man kann es nicht lesen. Oder was?

Heinrich: Ich träume schon davon, wie die goldene Sternschnuppe durch die schwarz-weiße Dekoration fliegt.

Alex: Wir müssen uns jetzt darauf einigen, wie wir weiter vorgehen. Vielleicht die Personen in Gruppen aufteilen.

Wera: Das haben wir doch schon. Die Arbeitsgruppen haben jetzt ihre Zeit gehabt.

Sanda: Wir sollten mal in ein neues Stadium treten.

Ric: Neues Stadium ist immer gut!

Helga: Ich schlage vor, daß wir jetzt den dritten Akt einmal durchspielen, wie die anderen auch, bis jede einmal alle Rollen gespielt hat.

Einar: Improvisation ist die höchste Stufe der Perfektion!

Auftritt Thomas.

Thomas: Nach dem, was ich neulich bei eurer Probe gesehen habe, finde ich, daß ihr euch dem Stück zu sklavisch unterwerft, statt es aufzubrechen und ihm eine gegenwärtige Dimension zu geben. So macht ihr bloß Kunstgewerbe.

(Aufschrei der Entrüstung bei allen Anwesenden.)

Thomas: Ihr solltet das Stück viel deutlicher in unsere eigene Misere transponieren. Eventuell den Grundriß übernehmen, aber dann diese viel zu klassische Dramaturgie aufbrechen, eigene Texte dazwischenschneiden oder auch so etwas wie »Leben Lorcas« einmontieren, seine Situation als Schreibender, eure Situation als Spielende, ihr könntet auf zwei oder drei Podien spielen, aber auch das nicht stur, hier Berlin und dort Andalusien. Die klassische Dramaturgie verlassen, eure eigene Ratlosigkeit mit hineinnehmen! Wenn ihr wollt, schreibe ich euch das Stück ganz um.

Sanda: Eigentlich wollen wir einfach ein normales Theaterstück normal aufführen.

Heinrich: Falls wir das schaffen sollten, wäre es nämlich schon viel.

Gaby: Dem Text einen Körper, einen Raum und einen Rhythmus geben.

Helga: Und uns beweisen, daß wir nicht bloß rumsitzen und rumquatschen, sondern auch was auf die Beine stellen können.

Thomas: Und wenn ich euch ein »Nachspiel« dazu schreibe? Würdet ihr euch das dann wenigstens mal ansehen?

Alle: Klar. / Natürlich. / Ein Nachspiel ist vielleicht eine gute Idee.

Thomas: Jetzt lese ich euch noch ein Gedicht vor, das ich gestern geschrieben habe:

Ich bin der Sänger nicht das Lied.
Ich zieh den Vorhang auf,
leer ist die Szene.
Nichts geschieht. Ich springe auf die Bühne
und schrei ins Dunkel meine kalten Zweifel.
Vier Hände plätschern lau Applaus.
Ich flüstere meine Liebe in den Saal.
Ein dürres Lachen hüpft zu mir.
Ich schlage Salto, verrenke Arme, Beine.
Nichts. Nur Dunkel und Geflüster.
Ich reiß die Kleider mir vom Leib und
zeig die Schrammen, Narben, Flecke vor,
die müde Trauer, den kleinen Haß –
sie leg ich aufs Tablett –
stolzier zur Rampe. Nichts.
»Alles, was ich in mir finde, zeig ich euch,
alles, was ich weiß von mir, will ich euch sagen …«
Wie ein Blitz fährt kaltes Licht in das Theater:
Alle Köpfe auf die Brust gesunken. Tief im Schlaf.
Durch die Reihen geh ich, seh Gesichter,
hör die Träume durch die Schädel schleichen.
Kriech zur Tür. Verschlossen.
Wieder auf die Bühne. Nehm das Messer und
zerschneide meine Sprache. Blut fällt auf die Bretter.
Mein Gesicht zieh ich vom Kopf wie eine Haut und
die Masken aus der Tasche.
Sprech mit fremder Stimme fremde Worte
geh mit fremden Schritten fremde Wege
wechsel Haut und Hemden
bin ein Bauer, bin ein Präsident
und vergesse, wer ich war.
Bin das Lied, bin nicht der Sänger.

Alle (baff vor Bewunderung): Thomas, du bist der
Größte! / Phantastisch! / Toll! / Mehr gibts nicht zu
sagen!

Thomas: Und kennt ihr übrigens den schon: Steigt ein
Mann in Dresden in die Straßenbahn und will zum
Salvador-Allende-Platz …

Einar: Aufhören!

Alex: Nächste Probe Mittwoch.

Anlage 2: Brief an den Mitleser

Sehr geehrter Genosse Leser von der Stasi!
Seit Sie sich bei unserer Freundin Anna unter dem Namen Kupfer vorgestellt haben, nennen wir Sie »Geheimagent Kupfer«. Also geehrter Geheimagent Kupfer, Sie
brauchen sich bei dem beiliegenden Protokoll nicht weiter zu beunruhigen. Das ist eine ganz harmlose Zusam-
menkunft von lauter Spinnern, die ein Theaterstück aufführen wollen. Die meisten von uns sind im engeren oder
weiteren Sinne vom Theater, und Sie kennen uns sowieso, denn wir sind die, die immer in den Theaterkantinen rumhängen, in der Volksbühne oder im Deutschen
Theater, meistens aber in der Volksbühne, da wohnen wir
nämlich näher dran. Wir wissen nicht, ob der Name, mit
dem man uns allgemein nennt, »die Turnschuhbande«,
von Ihrer Firma lanciert worden ist, jedenfalls tragen wir
diesen Namen nun mit Stolz.
   Das Stück, das wir, unter fünf verschiedenen, in gehei-
mer Wahl mit einfacher Mehrheit ausgewählt haben, ist
vom Kameraden Lorca, einem Guten, wie ich Ihnen
gleich versichern kann, einem republikanischen Spanier,

der von den bösen Franco-Faschisten gleich in den ersten Stunden des Bürgerkriegs erschossen worden ist. Das war vielleicht auch der Grund, warum wir das Lied »Spaniens Himmel breitet seine Sterne« immer schon vor der ersten Schulstunde singen mußten? (Meine Lieblingsfreundinnen Eva und Anna allerdings haben in ihrer gemeinsamen Schulzeit immer den »Kleinen Trompeter« singen müssen, und sie wollen es heute noch nicht glauben, daß es *nicht* »ein lustiges Ruckern ist im Blut«, sondern »ein lustiges Rotgardistenblut« heißt. Vielleicht könnten Sie mal eine Aufklärungskampagne über den wahren Inhalt des Kampf- und Arbeiterliedschatzes starten.)

Jedenfalls hat Lorca auch das Stück »Doña Rosita bleibt ledig« geschrieben, das bei uns, in einer allerdings sehr bürgerlich-dekadenten Weise, in den Kammerspielen inszeniert worden ist und dessen Aufführung von Ihnen fast verboten worden wäre, wenn Ihnen nicht noch rechtzeitig jemand eingeflüstert hätte, daß Lorca eben ein Guter war, auf der Seite der lieben Republik, und Sie kein Stück von ihm verbieten können, weil das die bösen Faschisten schon lange genug getan haben.

Also, wie gesagt, alles ist völlig harmlos, wir sitzen bloß und reden und reden, über dieses schreckliche Spanien und die armen Frauen, die immer nach Männern lechzen, was ja wirklich nicht unser Problem ist, wie Ihnen sicher nicht entgangen sein wird, denn unsere Frauen sind ja seit langem empanzipiert und nehmen sich, was sie brauchen. Ich gehe davon aus, daß Sie über die immer verwirrten Herzensverhältnisse der Turnschuhbande genau Bescheid wissen. »Aber Spaß muß es machen, sonst machts keinen Spaß«, hat ein Ihnen sicher auch bekannter Dichter gesagt bzw. gedichtet, und da hat er natürlich recht. Wir kennen uns alle schon so lange untereinander und haben uns manchmal ein bißchen satt und sind deshalb immer froh, wenn mit Ihrer Genehmigung mal eine Praktikantin oder ein Praktikant aus Frankreich, Mexiko oder Japan auftaucht. Für diese Abwechslung danken wir Ihnen.

Und nun möchte ich Ihnen noch etwas sagen. Ich bitte Sie, es sich gründlich zu überlegen, ob Sie etwas gegen uns unternehmen wollen, und zwar aus folgendem Grund: Die meisten von uns, oder zumindest viele, sind Prominenten- und Emigrantenkinder, d.h. Kinder von Juden und Kommunisten, unsere Eltern tragen fast alle die Medaille »Kämpfer gegen den Faschismus«. (Meinem Onkel Herrmann, der »nur« als Zeuge Jehovas in Buchenwald war, haben sie nicht mal die Medaille »Opfer des Faschismus« gegönnt, das nebenbei.) Wir sind, wie Sie ja sicher auch genau wissen, sehr vertratscht und verquatscht, wir sitzen in den Theaterkantinen und im »Espresso« unter den Linden, und wir kennen viele, viele Leute, im Osten und auch im Westen. Das sähe dumm aus, wenn dann im *Spiegel* stehen würde, daß sie die Kinder von prominenten Antifaschisten (jawohl, Sanda ist die Nichte von Helene Weigel!) belästigen oder schikanieren.

Mit antifaschistischem Gruß!

Alex Lothar

Ilana an Anna

Jerusalem, 10. Kislev 5736

Wir sind angekommen!

Alles unfaßbar. Brief folgt, wenn ich wieder zur Besinnung gekommen bin.

Schalom uweracha!

Ilana, Avi und Menachem-Mendl

Anna an Leon

Dienstag

Leon, das waren viel zu wenige Stunden am Sonntag. So wenige Stunden und dann schon wieder Bahnhof.

Habe mich so über Dein Telegramm gefreut. Sogar der Wirt hat gestrahlt, als er es mir – offen – überreicht hat. Und nun warte ich auf den Anruf und den Brief folgt.

Liebster, falls Du es wissen willst, das ist mein Tag:

Um acht klingeln zwei Wecker und scheppern mich aus dem Schlaf, und wenn ich sie abgestellt habe, taste ich im Bett herum, um Dich zu finden, strecke und sehne mich und suche und seufze ein paar Runden, aber finde Dich doch nicht und muß ja auch aufstehen, dann wasche ich mich symbolisch und mache mir mit dem lauwarmen Wasser aus dem Wasserhahn einen Nescafé, der igitt schmeckt, esse ein Knäckebrot und denke, ob Du auch gerade etwas kaust und was, und denke immer weiter an Dich und an uns, besonders natürlich, wenn ich mich anziehe, seufze wieder beim Hoch-, Runter-, Hin- und Herziehen der Sachen am Körper, aber dann kommt das »Zusammenreißen«, ich renne die Treppe runter, lasse den Schlüssel auf der Theke der Kneipe, da räumen sie gerade auf, vom Wirt noch keine Spur und auch von kei-

nem Frühstück, und gehe die paar Schritte durch den
»Park des Friedens« (vormals Adolf-Hitler-Park, das haben sie mir in der Kneipe erzählt), es wehen rote Blätter,
nasses Laub um mich herum, November, ein Hund oder
ein Eichhörnchen kreuzt meinen Weg, wir wechseln ein
paar Worte miteinander, und ich denke, wenn ich einmal
eine innere Ruhe fände, würde ich vielleicht die Natur
lieben. Aber ich kann diese Ruhe nicht finden und deshalb liebe ich auch die Natur nicht und sehe sie nicht einmal. Keinen Baum, keinen Strauch und keine Blume. Wie
egal die mir sind!

Und dann komme ich an »Jugend vereinigt Euch!«
vorbei, muß lachen und denke an das, woran Du auch
denkst, und dann wieder an das Kloster, in dem ich meinen Körper aufgeben, Ruhe finden und die Liebe zur
Natur lernen werde, falls es so etwas geben sollte – eine
körperlose Liebe, was mir äußerst ungewiß erscheint.

Rein ins Theater. Und von diesem Moment an nur noch
Rennen, Rasen, Hetzen, Diskutieren, Erklären, Schreien,
Rechtfertigen, Verteidigen, Organisieren, Rumtelefonie-
ren (finde nicht einmal die Zeit, aufs Klo zu gehen, und
wenn doch, nur dort eine Minute der Besinnung), dann
weiter den Ordner und Anordner spielen, wie Alex das
genannt hat, und dazwischen denke ich, wenn Du mich
sehen würdest! Wie eine Erwachsene! Aber leider sehe
ich mich nur immer selbst da herumfuchteln, das ist ja
das Problem, daß ich die ganze Zeit neben mir stehe und
lache oder verzweifle, weil ich das nicht kann, das Inszenieren, weil ich im falschen Stück gelandet bin, weil das
der falsche Beruf für mich ist, wahrscheinlich, wie ich
fürchte.

Du würdest natürlich alles spielend bewältigen, weil

Dir ja alles gelingt, noch bevor Du es beginnst. Weißt Du, als ich neulich bei Alan und Crille vorbeigegangen bin, als Du nicht zu Hause warst, da haben sie mich gefragt, ob mir nicht irgendwas an Dir aufgefallen sei. Ich habe gesagt, daß mir alles an Dir aufgefallen sei, wie schön und voller Grazie Du bist – wie der Doryphoros von Polyklet aus dem Bode-Museum, und daß Du überall so schöne und wertvolle Dinge findest, als ob sie sich Dir schon entgegenstrecken, wenn Du bloß am Horizont auftauchst, und daß Du für alles begabt bist, für alle schönen Künste jedenfalls, inklusive der Liebeskunst. Aber am meisten, habe ich ihnen erzählt, sei mir aufgefallen, wie es ist, wenn wir uns manchmal gegenseitig Modell sitzen und ich quäle mich mit der Zeichnung herum, sie gelingt nicht, alles gerät schlecht und falsch, aber Du siehst mich bloß kurz an, wirfst ein paar Striche aufs Papier, da ist es schon ein fertiges Porträt, an dem alles stimmt. Dann zerknüllst Du das Blatt und wirfst es in den Papierkorb, während ich meine ungeratenen Zeichnungen aufhebe und in einer Mappe sammle. Das, habe ich ihnen gesagt, sei mir an Dir aufgefallen, und Alan und Crille lächelten etwas gequält, weil sie mich wahrscheinlich verliebt und schwärmerisch fanden. Manchmal habe ich Angst, daß Du mich eines Tages auch so in den Papierkorb werfen wirst.

Mittagspause. Kantine. Setze mich allein an einen Tisch. Kratz, der eklige Dramaturg, der mich fertigmachen will, sitzt demonstrativ mit dem »harten Kern« der Schauspieler an einem anderen Tisch, und zu mir setzt sich nur, ebenfalls demonstrativ, Michi, der Bühnenbildassistent, der fälschlicherweise meine Marginalität zu einer Art Opposition stilisiert und auch Künstler werden will, wie wir alle. Wir haben schon manches vertraute Gespräch geführt, und weil wir so eine Art Zutrauen zueinander gefunden hatten, habe ich ihm mittags an unserem Tisch in der Kantine einmal gestanden, daß ich jüdisch bin, ich will das doch nicht immer wie ein Geheimnis mit mir herumtragen. Bloß, wenn ich es sage, ist es falsch, und wenn ich es nicht sage, ist es auch falsch. Es kam, wie es kommen mußte, mein Michi war ganz bestürzt, denn er hatte ja noch nie einen lebenden Juden gesehen, immer nur die toten Juden auf den Bildern, die Leichenberge von Bergen-Belsen und den kleinen Jungen aus dem Warschauer Ghetto, der die Hände hebt, und ich sitze da putzmunter und mampfe mein Essen in der Kantine. Gleich fühlte ich mich wieder so schlecht und überfordert, weil ich dachte, daß ich nun alles gleichzeitig darstellen muß, Königin Esther und den kleinen Jungen aus dem Ghetto, der die Hände hebt, und den Staat Israel noch dazu. Dabei gelingt es mir doch noch nicht einmal, Anna zu sein, die ruhig einen Baum ansieht, geschweige denn einen Wald.

Kannst Du das verstehen, Leon?

Ich würde Dir gerne alles erzählen und erklären.

Nach der Kantine weiter Rumwirbeln in den verschiedenen Büros, zum Planen und Organisieren und um die Schauspieler überhaupt für die Proben zusammen zu kriegen, weil sie dauernd Vorstellungen spielen und noch zu Abstechern über die Dörfer zwischen Pasewalk und Angermünde fahren müssen, dann renne ich zur Bühnenbildnerin, die nicht mehr herauskommt aus ihrer Wohnung, weil ihr Kind krank geworden ist, und ich muß nun zwischen ihr und der Werkstatt vermitteln, aber sie stellt sich stur, hat sowieso nur ihr Kind im Kopf und sagt, man muß zwischen dem Wichtigen und dem Unwichtigen unterscheiden können. Da hat sie sicher recht, aber an mir bleibt es doch hängen. Sie macht mir einen Lindenblütentee und meint, der würde beruhigen, dann warnt sie mich vor Kratz, dem Ekeldramaturgen, und danach kommen wir langsam ganz allgemein auf die Menschen und dann auf die Männer und die Liebe zu sprechen, und ich habe ihr natürlich schon längst alles über Dich erzählt. Über Deine Schönheit und Grazie, Deinen unfehlbar guten Geschmack und wie sich jetzt Apollon mit Zwerg Nase eingelassen hat. Sie hat gelacht, dabei hab ichs todernst gemeint! Dann geht der Nachmittag im Hindernislauf weiter, manchmal kreuzt sogar Lutz meinen Weg, verschwindet aber schnell wieder. Zwischendurch sehe ich beim Bühnenpförtner nach, ob der Brief folgt nun schon angekommen ist, denke an Dich und sehne mich; wenn ich gerade am allermeisten außer Puste bin, sehne ich mich auch am allermeisten und denke wieder, was Du wohl gerade denkst und wie lächerlich das alles ist, wie ich mich da aufführe, und frage mich zum tausendsten Male, was ich denn bloß mein ganzes Leben lang tun werde? Etwas jedenfalls, wo ich hoffentlich nicht dauernd erklären muß, wo es nichts zu erklären gibt, und endlich erklären kann, wonach mich leider nie jemand fragt.

Die Abendprobe beschreibe ich Dir gar nicht, weil Dich das ja doch langweilt, dann kommt wieder die Kantine, und dann sagt mir Michi manchmal Bescheid, wenn es was Interessantes im Fernsehen gibt, das wir uns ansehen könnten, wenn nicht gerade alle Programme zu Ende wären, wenn wir endlich bei ihm ankommen. Sendeschluß. Dann trotte ich nach Hause, durch den kleinen

Park, der, bevor er zum Adolf-Hitler-Park wurde, der jüdische Friedhof war, auch das haben sie mir in der Kneipe erzählt.

Nach dem Sendeschluß also Kneipe, Theke, Hotelzimmer, der Lärm von unten, Briefe schreiben, nachdenken oder vielmehr herumträumen, lesen und dann ins Bett. Im Bett wieder sehnen, seufzen, strecken und suchen und nicht einschlafen können. Herzrasen, Katastrophe, Tornado, Erdbeben und Sturmflut von Sehnsucht und Liebe. Aber weißt Du, Leon, komisch, in dieser Naturkatastrophe fühle ich mich selbst plötzlich so gewaltig und groß und extraordinär und außernormal! Bis ich dann wieder in das kleine, banale, ordinäre Leben zurückgeschleudert werde, von dem man mir einreden will, es sei das »normale«.

Ich finde Dich nicht, Liebster, also gute Nacht.

Anna

Mum an Anna

Altaussee, den 14. 11. 75

Liebes Töchterchen!

Den Brief gebe ich Georg E. mit, er fliegt heute abend nach Berlin. Du wirst doch am Wochenende in Berlin eine Möglichkeit finden, ihn Dir abzuholen.

Das Tolle am Westen ist, man bringt den Film weg und am nächsten Tag holst du schon die Fotos ab. Da siehst Du uns alle vor der Pension, wo wir wohnen, Gerda, Edward, Ala, Paul, Heini, Murr, Lotti, und Gertie hat das Foto gemacht.

Du kannst Dir denken, wie konsterniert wir alle über die Sache mit der UNO-Resolution sind. »Der Zionismus ist eine Form des Rassismus und der rassischen Diskriminierung.« Man kanns nicht fassen! Antisemitenverein! Lotti hat geheult vor Wut und gesagt, jetzt würde sie sich auf der ganzen Welt nur noch für Israel, Juden und jüdische Dinge interessieren und sonst für gar nichts. Bitte ruf Toni und Berta an, sie werden schrecklich unglücklich sein und Angst um ihre jährlichen Israel-Reisen haben, obwohl man gar nicht weiß, was das für Konsequenzen hat, denn diese UNO-Resolutionen sind sowieso bloß Papier, aber antisemitische Propaganda sind sie allemal. Bei der Menge arabischer Staaten, die in der UNO sitzen, ist das ja auch kein Wunder. Heini tobt, er war und ist Zionist, von Gerda und Edward brauche ich es Dir nicht zu sagen, Gerda hat ihre beiden Brüder in Israel, Gertie ist zwar nicht jüdisch, tobt aber auch, sie ist eben unsere Paradegoite, so wie Walter unser Ehrenjude ist. Er war übrigens so lieb, in Wien alle Bücher und Platten für euch zu besorgen, und hat auch selbst noch dazugekauft, nach Deiner Order. Im Dezember will er eventuell wieder nach Berlin und unbedingt auch nach Prenzlau kommen. Er sagt, den Hafner in Preußen will er sich nicht entgehen lassen und noch ein paar andere Inszenierungen in Ost- und Westberlin anschauen. Bitte beantrage ein Visum für ihn, Paßnummer und alle anderen nötigen Informationen hast Du noch vom letzten Mal, sagt er. Er hat mir auch einen großen Teil der restlichen Besorgungen abgenommen, sogar bei Palmers die Bikinis und Busenhälter, er sagt, das macht ihm gar nichts. Wie ich alles nach Hause schleppen soll, weiß ich nicht.

Wir gehen hier spazieren und wandern oder sitzen diskutierend im Gasthaus. Was die Leute hinter unserem

Rücken über uns reden, möchte ich lieber gar nicht wissen. Die Österreicher sind mindestens solche Spießer und noch viel größere Antisemiten als Deine Nachbarn und alle restlichen Deutschen zusammengenommen, das kann ich dir nach gründlicher Kenntnis garantieren.

Liebes Töchterchen, nimm bloß die UNO-Sache nicht so tragisch.

Der Haß oder im besten Falle gleichgültige Antipathie Juden gegenüber gehört leider zum normalen human behavior. Die Idee vom auserwählten Volk scheint allen anderen Völkern unerträglich zu sein und ihren Haß auf ewige Zeiten anzustacheln. Jetzt toben sie ihn an Israel aus. Die westeuropäischen Länder stimmen gegen solche Resolutionen auch nur aus schlechtem Gewissen.

Komischerweise fühle ich mich in Wien trotzdem wohler als in Berlin, weil ich hier meine alten Freunde habe und wir wahrscheinlich alle auch schrecklich österreichisch sind, jedenfalls teilweise.

Ala hat Dir noch zwei Kleider gekauft, eins sandfarben, das andere lilagestreift mit Gürtel, Du wirst begeistert sein!

Ich lege noch die Speisekarte von dem poschen Hotelrestaurant in den Brief, in das uns Lotti am Semmering ausgeführt hat. Kannst staunen! Allerdings finde ich einiges darin unlogisch. Ich verstehe, daß Deutsch für so ein Menü zu vulgär klingt und »Schlosserbuben« tatsächlich unübersetzbar ist, aber warum dann das Datum doch deutsch. Und was hat das Wort »lunch« auf der französischen Speisekarte zu suchen? – Es können halt nicht alle so kosmopolitisch und polyglott sein wie wir.

Mein Töchterchen, paß gut auf Dich auf! Alle lassen herzlich grüßen! Wir haben gestern in Moskau angerufen. Nicht nur Ilana reist aus. Durch Helsinki bewegt sich dort vielleicht langsam wieder etwas.

Hugs and kisses,
Mum

Alles, alles Liebe. Ala.
Viel Erfolg! Lotte.
Herzliche Grüße und hoffentlich bis bald! Heini und Murr.
Du bist in Gedanken bei uns. Gertie.
See you soon, Grüße an Alex, Visum bitte expreß schicken. Walter

Kratz an Anna

Prenzlau, den 19. 11. 75

Liebe Anna!

Ich möchte Dich nur darauf hinweisen, daß es so wahrscheinlich nicht weitergeht. Du wirst ja selbst gemerkt haben, daß Deine Position hier im Theater nicht gerade gefestigt ist, weder bei den Schauspielern, denen Du nicht klarmachen kannst, was Du eigentlich willst, noch beim Intendanten, der Deine Konzeption vom »Furchtsamen« von Anfang an nicht überzeugend fand, noch bei den Kollegen der Werkstätten und der Technik, die überhaupt nicht wissen, wo es langgeht. Lutz hatte Dich, aus welchen Gründen auch immer, protegiert, aber auch er scheint nicht mehr sehr überzeugt von Deinen Fähigkeiten, jedenfalls hört man nicht viel von ihm zu diesem Thema.

Dein Gegähne bei der Betriebsversammlung war auch nicht gerade der Gipfel der Diplomatie. Wenn ich mir die

Bemerkung erlauben darf, würde ich an Deiner Stelle versuchen, mich ein bißchen besser zu kontrollieren und nicht überall Gespenster zu sehen wie Dein »Furchtsamer«.

Vielleicht wäre es gut, wenn wir uns jeden Tag vor Beginn der Probe eine Stunde zusammensetzten, um alles genau durchzugehen und uns vorher abstimmen, damit nachher nicht weiter alles schiefgeht.

Gruß

Jörg

Anna an Eva

Prenzlau, 19. 11. 75

Liebe Eva!

Ich hab schon versucht, überhaupt nicht in die Zeitung reinzusehen, aber nun haben sie sich hier nicht entblödet, eine Betriebsversammlung anzusetzen, erst über alles mögliche (schnarch), und dann über »aktuelle politische Probleme« auf dem Niveau der »Politinformation« unserer gemeinsamen Schulzeit (wo man wenigstens unauffällig im Frauenruheraum verschwinden konnte), aber hier gabs kein Entweichen, jedenfalls nicht für mich. Da wird herumgesülzt, als ob sich irgendjemand für irgendetwas, was auf der Welt jenseits von Prenzlau geschieht, auch nur im entferntesten interessieren würde, alle dösen vor sich hin oder malen Männchen aufs Papier. Aber komisch, wenn darüber informiert wird, daß die UNO-Vollversammlung beschlossen hat, den Zionismus »als Form des Rassismus und der rassischen Diskriminierung« zu »verurteilen«, da wachen sie alle auf, denken sowieso, daß Zionismus ein Schimpfwort ist, und der Vortragende haut richtig auf den Tisch, denn auch die internationale Frauenkonferenz in Mexiko und die internationale weiß nicht was für eine Idiotenkonferenz hatten es ja schon »bekräftigt«, daß Israel ein Apartheidsstaat mit reaktionär-volksfeindlichem Charakter sei, und auch der Führer, jawohl der Führer, diesmal der des Weltproletariats, nämlich Lenin, hat den Zionismus schon als «abscheuliche, unwiderruflich freiheitsfeindliche und reaktionäre Ideologie gegeißelt«, und die entsprechende Stelle wurde auch gleich aus einem seiner zahlreichen und überflüssigen Werke vorgelesen.

Eva, Du kannst Dir nicht vorstellen, was ich für eine Wut hatte, wollte rumbrüllen, Arschlöcher, Schweine, Nazis, habe aber bloß meinen Kopf eingezogen, immer weiter in mich hinein, den Kopf hängen lassen, habe fast geheult, wollte zu meiner Mum, wollte nach Hause, wenn ich wüßte, wo das ist, und dann mußte ich gähnen, habe gegähnt, den Mund aufgerissen, konnte mich nicht mehr halten vor Gähnen, eine Gähnorgie, und es fällt mir jetzt, wo ich das schreibe, ein, daß Baudelaire gesagt hat, gähnen heißt, die Welt verschlucken.

Die meisten der Schauspieler, mit denen ich jeden Tag arbeite, waren gar nicht dabei, sonst würde ich noch weniger wissen, wie das hier weitergehen soll, was ich sowieso schon nicht mehr richtig weiß. Es ist, als ob sich das Blatt schon gewendet hätte, es gibt immer mehr Streit mit diesem Kratz, Lutz läßt sich nicht blicken, und die Schauspieler warten ab, wer nun der Stärkere ist, ich oder Kratz, und ihr Instinkt sagt ihnen wohl, daß es mit mir nicht groß was werden wird. Sie sind lustlos, und ich bin es leider auch schon. Wenn ich morgens aufstehe und mir mit dem lauwarmen Wasser aus dem Wasserhahn des

Waschbeckens meinen Nescafé mache, sage ich mir, aber verdammt noch mal, ich bin doch hier nicht verhaftet, das habe ich mir doch alles selber ausgesucht, das Theater, die Provinz, verdammt nochmal!

Du hast ja so recht, Eva, daß wir einmal etwas zusammen machen müßten, eine Inszenierung, eine Arbeit unter Freunden, so wie unsere »Bernarda«, aber nicht im Zimmer, nicht nur am Wochenende.

Aber wie? Aber was? Aber wo?

Wir haben immer noch diese schreckliche Sehnsucht nach »stärker, größer, schöner, leidenschaftlicher, dunkler!«, wie Du es damals in der Schule als »Losung« an die Tafel geschrieben hast, und dann haben sie Dich einen Tag aus der Schule ausgeschlossen, und ich habe am nächsten Tag daran geschrieben: »Alle Landschaften haben / sich mit Blau erfüllt / Alle Büsche und Bäume des Stromes, / der weit in den Norden schwillt . . .«, das ganze Gedicht, weißt Du noch? die Tafel voll von oben links bis rechts unten, und dann wurde ich auch für einen Tag ausgeschlossen, bis am dritten Tag unsere liebe Sabine den kleinen Aufstand der Poesie mit »oh interminable ennui de la plainc« zum Höhepunkt gebracht hat und unsere Eltern in die Schule bestellt wurden, und es gab wenigstens mal richtigen Klassenkampf, weil sogar bei unseren Eltern, die sonst alles runterschlucken, endlich die Schmerzgrenze erreicht war. So viel Ärger wegen so einem bißchen Poesie, und daß ausgerechnet dieser Nazi, dem wir schließlich seine NSDAP-Mitgliedschaft nachgewiesen hatten, uns nicht nur in deutscher Literatur und Geschichte unterrichten, sondern auch noch als »Club, Clique, pflaumenweiche Individualisten, Handlanger und Kafkaleser« beschimpfen durfte. Lauter Titel, die wir schließlich heute noch als Ehrentitel tragen! Bloß schade, daß sich Deine Mutter damals zusammengerissen und auf ihren berüchtigten Handstand mit Überschlag verzichtet hat. Jedenfalls Sabine und ich haben das bedauert.

Eva, wollen wir nicht lieber in das reaktionäre, rassistische Land, wo Milch und Honig fließen, auswandern? Aus der großen Sowjetunion wandern sie doch auch alle in das kleine Land aus. Ich habe eine Karte von Ilana bekommen, »Wir sind angekommen!«, Poststempel Jerusalem. Vielleicht gehören wir auch dorthin, Eva?

Deine Anna

Wenn Du Dir die Nase operieren läßt, laß ich mich von Dir scheiden!

Anna an Kratz

Prenzlau, den 20. 11. 75

Lieber Jörg!
Bei der Versammlung habe ich gegähnt, weil ich nicht vor allen Leuten heulen wollte.

Auch Du konntest von Anfang an nichts mit meiner Konzeption anfangen, und ich glaube, ehrlich gesagt, daß wir beide nicht viel miteinander anfangen können.

Deine papahafte Zuwendung behalte doch bitte exklusiv Deinen Kindern vor. Ich bitte Dich, nicht mehr auf den Proben zu erscheinen, wenn Du Dich nicht zurückhalten kannst, mich dauernd vor den anderen kleinzumachen. Ich werde dieses Stück notfalls auch alleine fertigbringen, jedenfalls bin noch immer ich der Regisseur und nicht Du.

Gruß
Anna

Anna an Michi

Lieber Michi, ich leg Dir das Briefchen zum Pförtner, da Du mir den ganzen Tag aus dem Weg gegangen bist.

Bitte entschuldige wegen gestern abend. Du hast mich so lieb getröstet, und es ist sowieso sehr lieb von Dir, daß ich manchmal zum Fernsehen zu Dir kommen kann und Du noch zu mir hältst und an meine Arbeit glaubst und nicht an den Quatsch von der Betriebsversammlung, und ich wollte auch lieb zu Dir sein gestern abend, aber ich war traurig, schlapp und impotent und hab Dir was von Freundschaft vorgesülzt. An Deiner Stelle hätte ich auch die Tür zugeknallt.

Michi, du bist der einzige hier, mit dem ich noch vernünftig reden kann. Bitte sei mir nicht böse, oder sei es, aber wir müssen noch eine Weile Kollegen hier bleiben. Bitte sei mir noch solange ein verläßlicher Kollege, auch wenn das lächerlich klingt.

Ich umarme dich.

Anna

Eva, Alex und die anderen an Anna

Prag, den 22. 11.

In Prag regnets, »Der letzte Tango von Paris« läuft auch nicht mehr oder ist nie gelaufen, aber im »Slavia« gibts immer noch Rührei und Pepsi Cola zum Frühstück!

Viele Grüße

Eva, Alex, Henry, Gaby, Einar, Sanda

Moskau, 17.11.75

Moja dorogaja djewotschka!

Heute fährt eine »Gelegenheit« nach Berlin, und ich will natürlich einen Brief mitgeben. Die »Gelegenheit« wird ihn samt den kandierten Mandeln, dem Farbkasten (sind das die richtigen Farben?) und den Zwetajewa-Gedichten bei Ilja und Walja abgeben.

Vor ein paar Tagen rief Deine liebe Mutter mit allen Freunden aus Wien an, eine große Freude. Über das meiste kann man ja leider am Telefon nicht reden, aber sie erzählte mir von Deiner Arbeit am Theater und auch von dem Mann, bei dem Du jetzt wohnst (?), sie war sich aber nicht ganz sicher, ob das ernst ist. Mein liebes djewotschka, alles klingt unsicher, das Geldverdienen und auch dieser Freund. Ich will aber, daß Du festere Verhältnisse findest und eine richtige Familie. Warum kann er Dich nicht heiraten? Oder ist er verheiratet, ich habe das nicht genau verstanden. Ich brauche Dir gegenüber doch nicht zu betonen, daß ich nicht aus Bigotterie spreche, sondern nur, weil ich meinem lieben Mädchen alles Gute und nur Gutes wünsche.

Mit Deinen Zeichnungen könntest Du doch vielleicht einmal etwas im Kinderbuchverlag versuchen. Dort arbeitet die Tochter von Elli Schmidt, Marianne, verheiratete weiß nicht wie. Wenn Du sie findest, bestellst Du ihr einen Gruß von mir und bittest sie, Dir behilflich zu sein.

Sei dafür bitte Tanja behilflich, wenn sie demnächst nach Berlin kommen wird. Sie ist dann zum erstenmal in ihrem Leben im Ausland und ohne Sprache, also mußt Du sie bitte betreuen und auch selbst die Initiative ergreifen, wenn möglich mit ihr ein bißchen herumfahren und ihr Weimar, Buchenwald usw. zeigen.

Ich erwarte jetzt den Anruf von Hilde E., sie war nicht in Wien dabei, würdest Du bitte vorbeigehen und um Nachricht bitten, wann sie nach Moskau kommt, Antwort mit der nächsten »Gelegenheit« bitte.

Bitte gib mir ausführlich Nachrichten über Dich, laß mich möglichst alles ganz genau wissen. Zum neuen Jahr kommst Du doch auf jeden Fall? Wenn Du Deinen Freund mitbringen möchtest, dann ist es mit einer Gruppenreise besser, weil wir dann hier die Genehmigungs- und Anmeldungsprozeduren umgehen können. Ich muß immer sehen, wie ich die Besuchsquoten noch im Rahmen halten kann, pflege deshalb auch meine »Beziehungen«, so gut ich kann. Ihr wohnt dann natürlich trotzdem bei uns, und wir werden euch alle Wünsche erfüllen, wenn wir können.

Ich bin viel in Gedanken bei Dir, mein djewotschka.

Nun, bei uns hier immer Sorgen, viel Trauriges zu erzählen, Du verstehst schon, was ich meine. Ilana ist nach I. ausgereist, mit Mann und Kind. Am 27. fliegt Sascha ab, auch für immer, aber nicht nach I., sondern nach A., hat dort ein sehr gutes Angebot von einer Uni. Du wirst ihn also auch nicht mehr hier treffen, er läßt Dich ganz herzlich grüßen. Fast jeden Tag verläßt uns irgendein Freund. Ich muß Dir nicht sagen, wie traurig diese Abschiede sind. Immer Abschied, jeden Tag Abschied.

Jetzt schreibe ich nur noch kurz die Liste der Besorgungen, die Du bitte für mich und all die Leute, die darauf warten, erledigst. Meine »Gelegenheit« fährt morgen um neun, jetzt ist es schon zwei Uhr nachts.

Ich habe Sehnsucht nach meiner kleinen dotschenka.

1. Tapete, 70 Meter, 50 oder 65 cm breit. Das beigelegte Muster wirst Du wahrscheinlich nicht genauso finden können, aber etwas ähnliches, also ohne Blümchen, Kritzel oder Sternchen, eierschale- oder elfenbeinfarben

2. 1 Flasche Möbelpolitur

3. Luftreiniger fürs Klo

4. Schuheinlagen für meine Plattfüße, 23/2

5. einige Dosen Haarspray

6. Brillengläser – 6,

7. Antibabypillen, soviel wie möglich, dafür gibt es hier unendliche Nachfrage, bitte durch Deine Arztfreundin besorgen

8. Herzmittel und Blutdruckmittel, genaue Bezeichnungen und Zusammensetzungen auf den beiliegenden Zetteln

9. Intimspray, Schaumbad, Feuchtigkeitscremes für Tag und Nacht

10. 1 kleines Spielzeugauto, an dem die Türen und Fenster zu öffnen sind, aber das sind vielleicht amerikanische oder englische? (Für einen kleinen Jungen, die Mutter ist gerade aus dem G. zurückgekommen, genau daher, wo ich war.)

11. Zimt

12. Pfeffer in Körnern

13. Kräutersalz

14. Wandleiste mit Küchengeräten daran

15. Wenn Du für Nahum noch so ein Hemd findst, wie Du ihm schon einmal gebracht hast, das gelbe, es ist jetzt schon ganz kaputt, er hat es so gerne getragen. Das Geld, das Du dafür ausgibst, bekommst Du hier sofort zurück, bzw. Theaterkarten oder evtl. Abste-

cher nach Leningrad. Brauchst also gar nichts erst zu wechseln. Bitte spiele nicht die reiche Dame und kaufe darüber hinaus noch Geschenke.

So, mein liebes Mädchen, nun sei brav und gehorsam, und hoffentlich, hoffentlich kann ich Dich bald umarmen!

Innige Grüße auch von Nahum, und auch für Deine liebe Mutter,

Mischka

Eva und Alex an Anna

Berlin, Montag, zum Frühstück

Annalieschen!

Also da sitzen wir, Eva und ich, in meiner Wohnung, alles kommt eben immer anders als man denkt, das wird Dir Eva gleich erklären und noch viel mehr. Ich habe gerade meine Morgendusche genommen, Eva trinkt schon ihren Kaffee und schmiert sich gerade Kirschkonfitüre auf die Schrippe, und weil ich zuallererst geheizt habe, ist das Zimmer schon fuß- und schmuswarm, und wir haben auch schon viermal die Arie »Es blaut die Nacht« gehört und sind also in Schwung! Nachher werde ich Eva zum Zug bringen und danach an meinem Stück weiterschreiben. Durch die Apfelernte bei meiner Mutter habe ich jetzt erst einmal genug Geld für die nächsten Wochen, und wenn ich so sparsam lebe, wie Du es ja von mir kennst, vielleicht sogar für die nächsten Monate. Durch Goldsteins Bestätigung meiner Tätigkeit als sein »Sekretär« habe ich nun auch Ruhe vor der Polizei und kann mich endlich um eine Versicherung kümmern. Das ist wirklich sehr nett von dem Alten, daß er mir den Wisch geschrieben hat, und das habe ich auch Deiner Mutter zu verdanken, die ihn dazu angestiftet hat. Lang lebe die Wien-Connection!

So. Und für meine »Doktorarbeit« habe ich mir jetzt den »Giftschein« besorgt, habe also endlich Zugang zum »Giftschrank«, wie wir uns das alle schon lange einmal gewünscht haben! Da habe ich nun sage und schreibe das mit so vielen Geheimnissen umwitterte Zimmer 23 in der Staatsbibliothek betreten, gleich hinten links in dem Gang neben der Ausleihe, und stand völlig belämmert in dem Raum mit der »speziellen Forschungsliteratur«, wo schon ein paar Auserwählte und Eingeweihte am Lesetisch saßen und mich abschätzend über den Brillenrand anguckten. Vor lauter Schreck wußte ich gar nicht, was ich nun überhaupt ausleihen sollte, und mußte ja außerdem auch noch die ganze Zeit einen auf »Wissenschaftler« mimen. Damit es sich wenigstens lohnt, habe ich zwischen all den Deutschers, Trotzkis, Hitlers, Freuds, Hannah Ahrendts, Ortegas und den Frühschriften von Lukács erst einmal »Die hundert Tage von Sodom« von de Sade ausgesucht, der uns schließlich unvergleichlich mehr interessiert als alle anderen Autoren zusammengenommen, oder nicht? Und dann konntest Du den »Wissenschaftler« aber haste was kannste über »Unter den Linden« ins »Espresso« rennen sehen, wo die ganze Bande schon auf ihn wartete, vor allem die drei Peter vom Philosophenkleeblatt, logisch, die hatten mich ja dazu angestiftet, aber auch David, Gaby, Stefan, Henry und die üblichen, die Tagesbohème, wie es einer mal ausgedrückt hat, und dann haben wir uns das Buch gegenseitig aus der Hand gerissen und reihum vorgelesen. Aber ehrlich gesagt, wir waren alle enttäuscht! Und auch ein bißchen angeekelt. Die Lust am Martyrium ist irgendwie auch nicht unser Fall. Vielleicht sind wir selber bloß Spießer und Provinzler wie die, die wir so sehr verachten? Oder sind wir einfach noch nicht eingesperrt genug, um in solcherart Phantasien Freiheitsgefühle finden zu können? Frage ich. Unsere Unfreiheit ist eben nur mittel und deshalb ist unsere Libertinage auch nur mittelmäßig. Sage ich. Das nächste Mal lese ich euch also »Die hundert Tage von Sodom« zum Einschlafen vor, ein bißchen aufregender als »Materialismus und Empiriokritizismus« ist es schon, und ab und zu kann man auch lachen.

Jetzt will Eva weiterschreiben, weil sie gerade ihre zweite Kirschkonfitürenschrippe aufgegessen hat.

Anna, warum bist Du denn am Wochenende nicht nach Berlin gekommen? In Meiningen fielen zwei Vorstellungen aus, und plötzlich hatte ich das Wochenende frei, bin sofort zum Bahnhof gestürzt und ab nach Berlin. Grad noch Alex bei seinem Nachbarn angerufen, daß er mich abholt, dann sind wir erst mal mit der S-Bahn noch ein paar Stationen weiter rausgefahren und haben einen großen Spaziergang gemacht, was wir da erlebt haben, erzähle ich später, und abends bin ich für Dich bei der Bernarda-Probe eingesprungen. Und danach kam das große Abenteuer. Plötzlich verkündete nämlich Einar, er habe gehört, daß in Prag »Der letzte Tango von Paris« läuft, und da es sowieso schon zu spät zum Ins-Bett-Gehen war, sind wir morgens direkt zum 7-Uhr-Flug nach Schönefeld rausgefahren. Dort haben wir erst einmal Schlange vor der Telefonzelle gestanden, weil sich herausstellte, daß wir alle, aber auch alle, unseren Müttern versprochen hatten, am Sonntag bei ihnen Mittag zu essen, und nun absagen mußten. Meine Mutter hat natürlich gleich wieder Handstand mit Überschlag am Telefon gemacht, aber alle anderen Mütter waren auch sauer.

Im goldnen Prag hats geregnet, wie wir Dir auf der Karte schon mitgeteilt haben, und auf keinem einzigen Kinoprogramm war »Der letzte Tango von Paris« angezeigt, das äußerste Westliche war »Spiel mir das Lied vom Tod«. Und so haben wir den ganzen Tag rumgehangen, »von det eine Restorang in det andere Restorang«, wie's bei Hauptmann heißt, sind im Regen rumgelaufen und dann abends in das Kino in eine entfernte Vorstadt rausgefahren, und weils darin so schön geheizt war und wir inzwischen todmüde, sind wir alle in dem Moment, in dem die Lichter ausgingen, auf der Stelle eingeschlafen. Nur einmal hat unser nimmermüder Alex die schlafende Reihe wegen einer Sexszene aufgeweckt, es gab aber überhaupt nichts Aufregendes zu sehen und wir haben gleich weitergeschlafen.

So, Anna, und nun kommt das Wichtigste!* (*Lieschen, *und zwar das Allerwichtigste*, Alex)

Beim Frühstück und bis weit über Mittag hinaus haben wir also im »Slavia« mit Blick auf die Moldau bei Rührei und Pepsi-Cola gesessen, wie schon die vielen Jahre vorher* (*ich habe Slibovitz getrunken, Alex), und wieder gejammert und geklagt, wie lahm und wie lahmgelegt wir alle sind, daß wir ewig nur in Phantasien leben, wie nichtig und flüchtig unsere mittelmäßigen Lasterhaftigkeiten sind und daß wir immer noch vor Sehnsucht vergehen. Daß wir doch nicht unser ganzes Leben wie beim Kindergeburtstag sitzen könnten, so schrecklich aufgeregt und gleichzeitig gelangweilt. Draußen ist die häßliche Gesellschaft der »Verwachsenen«, die wir verachten, von der wir uns abgekoppelt und der wir doch so wenig entgegenzusetzen haben, obwohl wir uns dauernd gegenseitig zu Künstlern erklären, weil das sonst keiner tut. Und wenn wir uns gerade einmal nicht für Genies halten, verachten wir uns selber als Versager und Dilettanten, Sonderlinge und Marginale. Da sprachen wir zueinander, daß damit doch endlich mal Schluß sein, daß jetzt endlich einmal etwas geschehen muß und es so einfach nicht weitergehen kann. Und dann haben wir im »Slavia«, bei Rührei und Pepsi-Cola und Slibovitz, vormittags um elf, während es draußen in Strömen regnete, beschlossen, ein Buch herauszugeben, eine Sammlung und Versammlung von allen unseren Werken, Dichtungen und Zeichnungen, Bildern und Aufsätzen, und alles hervorzuholen, was in unseren Wohnungen und Schubladen verschimmelt, es kritisch zu betrachten und zu bedenken, durchzusehen und auszuwählen, und was immer da herauskommen wird – es ist das einzige, was wir denen hier entgegenzusetzen haben.

EINE FREIE, LIEBENDE VERBINDUNG UNTER UNS!

So gründeten wir das ALBUM DER FREUNDE.

Und Slibovitz, Pepsi-Cola und Rührei flossen in Strömen!

Anna, überlege bitte gleich mit, wen wir noch alles dafür einladen, Du mußt mit Alex und mir die Redaktion machen, frage schon mal bei Matti an (dessen Adresse in Jena wir gar nicht kennen). Wir haben auch sofort mit den Einladungen angefangen, die Bernarda-Truppe, im »Espresso« undsoweiter, Freunde und Alliierte.

Und nun noch die Geschichte von unserem Ausflug. Nachdem mich nämlich Alex vom Bahnhof abgeholt hatte, sind wir gleich bis Birkenwerder rausgefahren, um ein bißchen spazierenzugehen und in Ruhe sprechen zu können, und plötzlich kamen wir in einen Ort, in dem nur ganz wenige Autos fuhren, so daß wir mitten auf der Straße gehen konnten, und die Straßen waren ganz sauber und die Häuser auch, sie hatten keine Zäune zwischen den Gärten, und alle Leute, die uns entgegenkamen oder uns überholten, grüßten freundlich, wir grüßten natürlich auch freundlich zurück, jeder grüßte uns, und wir grüßten jeden, und am Ende waren wir sogar müde von dem vielen Freundlichgrüßen und fragten uns, an was für einen Ort wir da eigentlich geraten waren, wo alles so verwandelt schien und wir uns selbst ein bißchen verwandelt hatten. Später, am Abend sahen wir auf dem Stadtplan nach, und es stellte sich heraus, es waren die Bodelschwinghschen Anstalten, ein Dorf und Refugium für Irre, das es dort seit dem 19. Jahrhundert gibt. Wir hatten ja gleich gemerkt, daß da was nicht stimmte.

Jetzt kommt nur noch die 120kilometrige Umarmung von

Eva und Alex

P.S. In Schwerin haben sie »Stella« abgesetzt. Bosch und Heidemarie sind ganz verzweifelt.

Anna an Leon

21 Uhr

Warum, Leon, bist Du wieder nicht da, wir hatten es doch ausgemacht. Als Du angerufen hast, haben sie mich aus der Probe rausgeholt, ich dachte zuerst, es sei etwas ganz Schlimmes passiert, jemand wäre gestorben oder verhaftet worden, und mein Herz hat so heftig geklopft, da habe ich vielleicht etwas falsch verstanden, weil ich so aufgeregt war.

Erst habe ich eine Stunde hier in Deinem Zimmer rumgesessen und dann wieder meine Runde gedreht, zu Deiner Mutter, zu Alan und Crille. Dein Bruder saß genauso kerzengerade auf dem grünen Sofa, unter den »Seerosen« von Monet, wie beim letztenmal, diesmal hatte Deine Mutter ihm zu seiner Stulle und der geviertelten Tomate noch ein Ei gewürfelt, und er sagte gleich »Tach, Anna!«, ich war richtig stolz, daß er sich an meinen Namen erinnert hat. Danach mit Alan und Crille rumgesessen, die hatten Dich wieder am Vormittag gesehen, wieder mit Tini.

Warum bist Du wieder nicht da? Warum hast Du mir nicht auf den Brief geantwortet, in dem ich Dir meinen Tag beschrieben habe? Hat er Dich gelangweilt? Warum kränkst Du mich? Warum hast Du mir nicht mal einen Zettel auf dem Tisch gelassen? Leon, wenn Du mich betrügen mußt, dann mach es so, wie es alle tun, unauffällig und mit lokaler Betäubung. Sag es mir nicht.

Leon, ich dachte, ich müßte Dir viele wichtige Dinge sagen und erzählen und Dir noch viele Briefe schreiben, um die wichtigen Dinge zu erklären. Aber jetzt denke ich schon manchmal, daß ich Dir vielleicht doch gar nicht so viel zu erzählen und zu schreiben habe und die Dinge wahrscheinlich auch gar nicht so wichtig sind, Dich langweilen und Dich gar nicht interessieren.

Leon, ich habe schon lange begriffen, Liebe ist Kränken und Gekränktwerden. Aber eine Krankheit, weißt

Du, die vergeht auch wieder. Wenn du wüßtest, wie ich mich nach meiner Klosterzelle sehne!

Und nie sagst Du, ich liebe dich. Und daß Du mich schön findest, solltest Du auch einmal sagen, irgend etwas an mir könnte Dir doch schön erscheinen. Und was Du Dir von mir wünschst, was ich Dir tun und sagen soll und was wir alles noch zusammen erleben und unternehmen werden.

Ich mache mir überhaupt nichts vor. Was mit Tini ist, weiß ich genau, und daß Du auch mit ihrer Mutter schläfst. Neulich traf ich sie, gleich als ich aus dem Bahnhof Pankow rauskam, wir sind vor dem Blumenladen stehengeblieben und haben von Dir gesprochen, weil Du ja der Freund ihrer Tochter bist, die glaubt, auch meine Freundin zu sein, was sie nie war und immer weniger ist, aber ihre Mutter und ich, wir wissen, daß wir beide Deine Geliebten sind, nur die dumme Tini weiß von nichts. Aber wie lange wir das aushalten werden, das wissen wir nicht, und ich jedenfalls mag diesen Betrug nicht. Ich könnte mich ohrfeigen, daß ich Dir schon wieder so einen langen Brief schreibe.

Und was tust Du für mich? Und was tust Du für uns? Was vertraust Du mir noch an? Hast Du etwa Angst vor mir? Wovor kann Dir denn bange sein? Willst Du lieber nichts mehr von mir hören?

Warum hast Du mir dann nicht wenigstens einen Brief oder Zettel dagelassen, wenn du mich nicht mehr willst.

Leon, ich will Dich doch gar nicht »haben«, falls Du davor Angst haben solltest, und ich will Dich auch nicht belästigen und Deine Wohnung besetzen, in die ich sowieso nicht hineinpasse, wie ich schon gesagt habe.

Ja, es stimmt, Birnen sind keine mehr dran an dem

Birnbaum, Blätter auch nicht, und die Arbeiter waren schon längst zu Hause, als ich angekommen bin.

Habe Kopfschmerzen. Ach Leon, unsere Kopfschmerzen.

Meine Bilder habe ich zur Wand gedreht. Das ist besser so.

Jetzt fahre ich zu Alex, Du kannst bei seinem Nachbarn anrufen, wenn Du wiederkommst, die Nummer ist 436473. Aber Du magst ja Alex nicht. Er mag Dich übrigens auch nicht, das ist auch traurig für mich. Und wie Du neulich gesagt hast, daß Dich das ewige Rumgequatsche über das Theater ankotzt, das fand ich sehr kränkend.

Anna

Anna an Walter

Prenzlau, den 1.12.75

Lieber Walter,

Du hast ja keine Ahnung, was es für eine Berliner Bürgerin mit Nebenwohnsitz in Prenzlau bedeutet, einen Österreicher mit britischem Paß und Nebenwohnsitz in Westberlin in die umliegende DDR einzuladen, noch dazu, wenn er mit dem Auto herkommen will! Es scheint ein einmaliger Fall in der Prenzlauer Geschichte zu sein, und sie mußten wohl viele, viele Beratungen darüber abhalten. Jedenfalls bin ich schon dreimal zur Polizeidienststelle zwecks Klärung bestellt worden, aber nun ist es genehmigt, und ich halte das Visum in der Hand, schicke es mit gleicher Post expreß an meine Mutter, die es jemandem nach Wien mitgibt, damit Du es schnell erhältst, und Du berätst Dich dann mit Alex, wie ihr Anreise, Herreise und Rundreise am besten organisiert. Er wird Dich in drei Tagen abends anrufen, und dann kannste kommen.

Walter, hab vielen Dank für alle Besorgungen, Bücher, Platten und den doppelten Bikini. Für Deine Verdienste werde ich Dir hier in einer schlichten Feierstunde das trägerlose Unterhemd in Gold verleihen. Du wirst hier im Interhotel wohnen müssen, da sperre ich Dich ein paar Stunden ein, damit Du dort Korrektur meines Programmheftes liest, in dem Du immer noch Fehler finden wirst, so wie im vorigen Jahr bei »Amphitryon«. Da war ich aber noch Assistentin, und jetzt bin ich plötzlich »Chef«, muß mich für alles zuständig und verantwortlich fühlen und bewältige das nicht, weil ich offensichtlich nicht in der Lage bin, mich und meine Meinungen und Vorstellungen durchzusetzen, die Leute, mit denen ich hier zu tun habe, nicht mag und mich über diese Antipathie auch nicht hinwegsetzen kann, keine Herausforderung spüre und schon manchmal alle Anstrengung sinnlos finde. Bitte komm dann auch die Proben anschauen, damit wir uns hinterher darüber gründlich die Meinung sagen können. Vielleicht wirst Du mit einem Blick erkennen, was hier los ist, und ein paar Ideen haben.

Walter, bitte bringe nichts mit (außer Schokolade!), besonders keine Bücher, um die Grenzüberschreitung nicht zu komplizieren und zu verzögern. Hast eh Erfahrung.

Alle weiteren reisetechnischen Details besprich bitte mit Alex.

Bis ganz bald also, ich freu mich schon sehr auf das Wiedersehen.

Alles Liebe und Bussis von

Anna

Heinrich an Anna, Eva und Alex

Einsiedelei, am Donnerstag,
glaube ich

Liebe Anna und liebe Eva, lieber Alex!
Ich bin abgehauen! Leider nicht in den Westen, sondern
bloß in die Einsiedelei. Wenn Ihr wüßtet, wie wütend ich
bin!

Ich konnte nicht mehr!

Habe Urlaub vom Friedhof genommen und bin in den
Zug gesprungen, die übliche Strecke, hätte in Prenzlau
aussteigen und versuchen können, Anna in ihrem Theater zu erwischen, aber auch dafür fehlte mir die Kraft. Ich
wollte bloß weg und abhauen. Alles wegen des Scheiß-
VEB Elektrokohle. Hier in der Einsiedelei habe ich mich
schon etwas beruhigt, beim Türen- und Fensterläden-
Öffnen und Lüften und Heizen und der Betrachtung all
der Sachen, die da noch vom Sommer herumlagen, von
jedem ein Stück, hier eine Socke, da eine Skizze, am
Haken ein Tuch, auf dem Küchenstuhl »Die Erziehung
der Gefühle«, eine angefangene Schnitzerei neben dem
Waschbecken. Ich habe alles eingesammelt und betrachtet
und mir eine Fischbüchse aufgemacht und einen Tee
gekocht und dazu die Neunte von Bruckner aufgelegt
(1. Satz, feierlich misterioso!), auf unserem leicht verlei-
ernden Plattenspieler, die ziemlich verkratzte Platte, auf
der nun auch der ferne Sommer aufgezeichnet war, das
ganze Getummel unserer Sommerkommune, und nun
kann ich Euch berichten, was geschehen ist.

Wie Ihr ja wißt, sollte ich mich mit meinen Bildern im
VEB Elektrokohle vorstellen, wegen einer eventuellen
Ausstellung dort. Die Genossen »Kulturleiter« haben sich
die Bilder gründlich angesehen, und ich hatte schon, wäh-

rend sie das taten, dauernd das Gefühl, ich müßte mir die Hände waschen, von den Bildern aber werde ich ihren stumpfen, höhnischen Blick leider nicht mehr abwaschen können! Sie haben schnell entschieden, daß man den Kollegen Arbeitern solche Bilder im Speisesaal, wo sie aufgehängt werden sollten, wirklich nicht zumuten kann. Denn:

»die Beziehung zu unserem Leben in der Wirklichkeit kommt nicht ausreichend zur Geltung«,

»schließlich soll die Kunst dem Schöpferdrang der Menschen Auftrieb geben«,

»wenn einer ein Bild malt, dann soll es den Tatsachen entsprechen«,

die Farben seien »grob«, die Akte »unappetitlich«, und »die Bilder zeigen überhaupt keine Freude«, nur »dunkle Flecken«.

»Da kommt einem ja das Essen wieder hoch«, hat es der Oberkulturleiter dann unmißverständlich zusammengefaßt.

Ich bin fast wahnsinnig geworden vor Schmerz. Nie wieder VEB! Lieber mein ganzes Leben weiter auf dem Friedhof harken!

Ich habe mich von Wolfgang Eber zu dieser VEB-Aktion breitschlagen lassen, der meinte, wenn daraus etwas würde, wäre das zwar auch keine richtige Ausstellung, aber doch schon ein Anfang auf dem Wege dahin und zur Aufnahme in den Verband, der mir eine Steuernummer und eine Versicherung verschaffen würde, so daß ich dann nicht mehr auf dem Friedhof harken müßte. Aber das ist doch kein Anfang! Das ist doch das Ende! Ich hab mich schon entwürdigt, als ich bloß durchs Betriebstor ging. Aber das Allerschlimmste, die Katastrophe war, daß ich die Bilder dort habe stehen lassen müssen! Ich habe dauernd angerufen, um zu fragen, wann ich sie wieder abholen kann, niemand hat mir darauf eine Antwort gegeben. Einer der Kulturleiter meinte nur, sie seien jetzt erst einmal im Depot, daraufhin bin ich sofort wieder rausgefahren, aber sie haben mich nicht bis zu ihrem Depot vordringen lassen. Sie haben mir meine Bilder gestohlen! Eine Quittung haben sie mir gegeben! Eine Quittung über 12 Bilder. Das ist im Moment alles, was mir von meinen Bildern geblieben ist. Eine Quittung! Und sie sind das einzige, was ich im Leben habe. Meine Kinder! Entführt und mißbraucht! So kann es nicht weiter gehen. Nein. Es muß etwas geschehen! Ihr habt ganz recht.

Unsere Theateraufführung ist bloß der Anfang.

Habt Ihr eigentlich schon mal darüber nachgedacht, wo wir das Stück denn nun eigentlich aufführen werden? Den Ort müßte ich nämlich schon mal sehen, bevor ich einen Raum entwerfe. Eine Bühne? Eine Wohnung? Ein Hof oder Garten? Bretter, die die Welt bedeuten, habe ich jedenfalls schon besorgt!

Das »Album der Freunde«. Natürlich. Ja! Warum haben wir denn nicht früher daran gedacht?

Aber: Bilder kann und soll man nicht reproduzieren, meine schon gar nicht. Deshalb schicke ich Euch demnächst einen Stoß Holzschnittkarten oder bringe sie vorbei. Ihr werdet sehen und verstehen, es ist eine Holzschnitterzählung, eine Geschichte mit dem Titel »Der Ausflug«, in der noch alles offen ist, je nachdem, wie Ihr die Karten ordnet. Es gibt immer noch andere und eigentlich unendlich viele Varianten.

Die Würde des Provisoriums.

So denke ich mir das.

Es muß nicht heißen, »mehr gebe ich ihnen nicht«, sondern, »alles was ich habe, stelle ich ihnen entgegen«. Daß wir uns nicht mehr so kleinmachen wollen, nicht immer nur verbiegen und verstecken. Nein, Form, Fassung und Gestalt! Nach unserer Art! Für uns!

EINE FREIE, LIEBENDE VERBINDUNG UNTER UNS.

Ja nicht nachlassen!

Anna, Eva, Alex, viele liebe Grüße, auch an alle anderen, bis bald im »Espresso«.

Heinrich

P. S. Beiliegend ein »Abriß« vom Schwarzen Brett des VEB Elektrokohle. Gut aufheben!

Das Jugendkollektiv »Pablo Neruda« an Jorge Montez, Senator der Republik Chile, Mitglied der politischen Kommission des ZK der KP Chiles

Wir, die Mitglieder des Jugendkollektivs »Pablo Neruda« des VEB Elektrokohle Berlin, haben mit großer Freude von Deiner Freilassung aus den Kerkern der chilenischen Militärjunta erfahren!

Wir sind uns bewußt, daß Deine Freilassung ein weiterer wichtiger Sieg im Kampf gegen die faschistische Diktatur in Chile ist! Dieser Sieg wird getragen von einer breiten internationalen Solidarität gegenüber dem chilenischen Volk. Es gilt, nicht nachzulassen im Kampf mit allen fortschrittlichen Kräften auf der Welt, um die Befreiung aller politischen Gefangenen in Chile zu erreichen!

Die Pinochet-Junta muß Auskunft geben über das Schicksal der mehr als 2500 verschwundenen Patrioten.

Unser Jugendkollektiv, welches den verpflichtenden Namen des großen chilenischen Dichters Pablo Neruda trägt, versichert Dir, daß wir durch hohe Leistungen im sozialistischen Wettbewerb sowie durch aktive Solidarität mit dazu beitragen werden, den Kampf um die Freiheit des chilenischen Volkes zu unterstützen

Okrent, Vertrauensmann   Scholz, Meister

Anastas an Alex, Eva und Anna
>   In meiner Mansarde
>   Elsa-Brandströmstraße
>   am 27.11. um 11 Uhr 27

Ihr drolligen Drei!
Das müßt Ihr mir nochmal genau erklären, das mit dem Album. Ich hoffe doch, ein Doppelalbum! Life-Mitschnitt oder Studioaufnahme? Oder was? Wir müssen auch Gäste dazu einladen. Kapitalistische und Westgäste. Interkonfessionelle und transnationale. Madisonsquaregardenhaft und woodstockmäßig! Hindu und Brahmanengäste. Univers-Aliens! Wir heißen doch nicht Arnim und Brentano. Bißchen heftig bitte! Kommt am besten vorbei, zum Besprechen. Ich erklär Euch dann auch noch was. Wichtiges. Wahlweise kann ich jedenfalls dumme Volkslieder – abgehörte vox populi- oder archikluge Aufsätze anbieten zu wiederum wahlweise Themen der Kunst oder Wissenschaft, ein Romanfragment, einen Novellenkranz oder, bildhaft, meine Illustrationen zur »Kritik der reinen Urteilskraft« in Sepia und farbiger Kreide, chinesische Kalligraphie, die ich gerade lerne, oder die Über-

setzung einer lange in meinem Zimmer verschollenen Schrift eines altgriechischen Kollegen.

Oder alles?

Man ist ja leider nicht ungestraft Universalgenie.

Nur sagt mir bitte, sollen, wollen, dürfen und können wir jetzt plötzlich alles hergeben?

Wem? und wozu?

Das kommt und erklärt bitte

Eurem Anastas

der Euch zur Belustigung schon mal eine Probe original abgefüllten künstlerischen Volksschaffens mitschickt.

> Wenn stark der Ast im Gurkenfeld
> Der Gammler trottelt durch die Welt
> Vom Kirchturm ruft der Muezzin
> Komm, laß uns mal ne Gurke ziehn.
>
> Die Heimat hat sich fein gemacht
> Und harrt des nächsten Feiertag'
> Da kehre ich beim Bären ein
> Verkriech mich, laß nicht sehn ein Bein.
>
> Am Werktag komm ich wieder raus
> Gevatter lädt zum Knoblauchschmaus
> Trag jetzt den Bart zu Trutz und Zier
> Die Knoblauchbeiz löscht man mit Bier.
>
> Die Straße, die ich langgehn muß
> Fahrn Autos lang mit Hochgenuß
> Mir kommt der Rucksack hinterher
> Ins Tal sehr leicht, zum Gipfel schwer.

Kollegen spenden Pfefferminz
Nicht auszuhalten, die Provinz!
Da lockt schon eher die Groß-Stadt
Umwirbt mich mit dem Tageblatt.

Nicht Stadt, nicht Land, nicht Fleisch noch Fisch
Die Urlaubszeit bekommt mir nicht
Drei Wochen spielen wir verrückt
Dann gehts ins Kombinat zurück!

Anna an Mischka

Prenzlau, 2.12.75

Liebe Mischka!
Ich habe eine schnelle »Gelegenheit«, um schon die ersten Besorgungen von Deiner Liste mitzugeben. Einiges
davon stammt aus Prenzlau, wo ich die Woche verbringe,
um diese österreichische Posse zu inszenieren, und wenn
alles gutgeht, was leider immer unwahrscheinlicher wird,
könnte ich dort vielleicht ein Engagement bekommen, da
hätte ich dann eine richtige feste Stelle, und ein festes Gehalt. Die ganz große Theatermetropole ist Prenzlau nun
zwar gerade nicht, aber meine beste Freundin Eva, die
Du ja kennst, will versuchen, sich hier engagieren zu lassen, und andere Freunde wollen es auch noch versuchen,
hier oder zusammen an einem anderen Provinztheater,
da wären wir schon zwei oder einige, und vielleicht kann
man ja auch in der Provinz einmal etwas zustande bringen. Das sind viele Vielleichts, und auch sonst ist in meinem Leben alles nicht so richtig, wie ich es gerne hätte
und möchte und wie es sein sollte, und ich weiß, daß Du
gleich sagen wirst, daß ja nur selten im Leben etwas ist,

wie man es gerne hätte und möchte und wie es sein sollte, und »il faut faire avec«, wie Dir Dein französisches Kindermädchen schließlich beigebracht hat.

Manchmal frage ich mich allerdings schon, ob ich dieses Theater überhaupt will, ich meine ein Leben am Theater, einen Beruf am Theater, oder besser gesagt, ich fürchte, daß ich das nicht bewältigen kann. Ich träume von Strehler und von den Aufführungen der »Taganka«, aber ich beherrsche die Kunst nicht, eine Gruppe zu bewegen. Ich schaffe es ja kaum, mich selber zu bewegen. Als Du einmal vom Lager in Sibirien erzählt hast, daß die meisten der Gefangenen dort schnell in ein dumpfes Tierdasein zurückgefallen sind, während nur einige wenige gerade dort zu Menschen wurden, da habe ich gedacht, daß ich bestimmt zu der großen Mehrheit gehören und auch in so einen Tierzustand zurückfallen und mich nicht jeden Morgen mit Schnee waschen würde, um ein bißchen Anstand zu bewahren. Denn schon hier, in meinem Hotelzimmer, verzichte ich auf gründlichere Wäsche, weil es umständlich und unbequem ist, und das Essen packe ich auch nicht mehr aus dem Papier, um es auf einen Teller zu legen, sondern esse, im Stehen, gleich aus der Hand, während ich meine Schuhe irgendwo in die Ecke donnere. Sittenverfall also, aber das ist auch gleich ein Abfall der Lebenslust, eine halbe Auflösung schon; wenigstens merke ich das noch, aber ich bin ja auch nicht im Gulag, doch ein bißchen wie in der Verbannung fühle ich mich schon, vielleicht dürfte ich das nicht sagen – fühle mich jedenfalls fern und weiß nicht einmal genau von wo. Vielleicht ja nur von meiner Diplomkindergartengruppe in Berlin, in der wir uns wenigstens trösten und anhänglich aneinander sind und davon träumen, einmal etwas zusammen zustande zu bringen, in unserer Arbeit und in unserem Leben. Jetzt langsam fangen wir gerade ein bißchen an aufzuwachen, besser spät als nie.

Mischka, um Brillengläser und Antibabypillen kann ich mich erst in Berlin kümmern, weiß jetzt nicht genau, wann ich da wieder bin, aber spätestens, wenn ich selber nach Moskau komme, bringe ich alles mit.

Bitte mach Dir keine Sorgen um mich wegen »festen Verhältnissen«, alles wird schon irgendwie in Ordnung kommen, irgendwann einmal, so oder so.

Ich umarme Dich. Priwet!

Deine Anna

Leon an Anna

Mittwoch in Berlin Pankow

Anna, meine extraordinäre,

warum weinst Du denn und sagst solche Dinge, daß Du Dich verraten und verachtet fühlst. Du mußt wohl neben dem Inspizienten gestanden haben, denn ich habe immer seine Aufrufe »Frau Sowieso zur Bühne« mitgehört. Und dann hast Du mittendrin aufgelegt.

Anna, Liebste, bitte verzeih mir, Du mußt doch nicht weinen.

Natürlich habe ich Deinen Brief bekommen, wie Dein Tag dort ist, und sehe Dich jetzt in der Schlacht des wirklichen Lebens manövrieren. Ein Tag im Leben von Anna.

Draußen fällt Schnee, eiliger luftiger Schnee, der sofort schmilzt. Die Arbeiter frieren jetzt schon ganz schön auf meinem Hof, wenn sie ihre Stullen essen, und treten dabei von einem Bein auf das andere.

Anna, bitte weine jetzt nicht mehr, sondern geh sofort

runter zu dem Wirt in die Kneipe, und übrigens, sag ihm doch einfach, Du kommst aus dem wilden Kurdistan, darunter kann er sich garantiert was vorstellen, und ich werde es ihm dann bestätigen, wenn ich Dich besuchen komme, nächsten Freitag, ganz bestimmt. Bitte ihn also, nochmal mit Dir in den Keller runterzugehen und nachzusehen, ob da nicht noch ein schmaleres Bett herumsteht als das in Deinem Zimmer und ob Du es dann für das Wochenende haben kannst, weil Dich Dein Geliebter besuchen kommt und das Bett dann nicht schmal genug sein kann. Auch das wird er sofort verstehen.

Und wenn sich die anderen Hotelgäste am nächsten Morgen beschweren kommen, sagen wir ihnen, daß das bloß Liebe war. Nicht wahr, Anna? Liebste, wenn Du wüßtest, wie sehr, wie oft und wie ich immer an Dich denke. An Dich und an uns und die Tage und Nächte, seitdem wir aus der Einsiedelei zurückgekehrt sind. Meistens haben wir ja gar nicht richtig gewußt, ob Tag oder Nacht war, weil wir bloß immer im Bett lagen, und wenn wir etwas zum Frühstück einkaufen wollten, hatten die Geschäfte schon zugemacht, aber bei Alan und Crille haben wir noch Kaffee und Toast bekommen, die aßen gerade Abendbrot und taten immer so geniert über unser Verliebtsein. Wahrscheinlich ist es schon lange her, daß sie selbst verliebt waren, die Armen. Und in diesen Tagen und Nächten habe ich mich manchmal lebendig gefühlt und bin aus meinem stumpfen Leben aufgewacht, losgebunden aus dem Schattenreich, in dem ich sonst lebe, weil Du mich berührt hattest, Du extraordinäre Liese. Aber dieses Gefühl ist dann natürlich auch wieder vergangen, wie alles vergeht, wenn ich Dir so eine Platitüde zumuten darf.

Anna, das ist mein Tag: Jeden Morgen wache ich mit einem völlig unbegründeten Optimismus auf, und jeden Abend möchte ich mich am liebsten vor Verzweiflung aus dem Fenster stürzen, weil ich im Laufe jedes Tages unter dem Ansturm all der Nicht-Erlebnisse völlig in mir zusammenbreche. Und dann gehe ich eben hinaus, laufe und suche, was nicht zu finden ist. Statt dessen finde ich manchmal eine Gallé-Vase oder etwas anderes Schönes, und das Suchen und Finden treibt mich an, die Abenteuer der staubigen Dachböden, meine Entdeckerreisen nach Königswusterhausen! Ich lebe mein Leben in so einer Art treuer Pflichterfüllung – nur weiß ich nicht einmal, welche Pflicht wem gegenüber, und wie bei jeder treuen Pflichterfüllung fühle ich mich davon taub und müde und eingegrenzt, und dann will ich auch gar niemanden mehr sehen. Daß Du dic Bilder zur Wand gedreht hast, war ganz richtig, Anna. Nicht Deiner Bilder wegen, dic ich liebe, wenn ich in meiner Taubheit noch lieben kann, gerade weil sie nicht in meine Wohnung passen. Wie kannst Du nur so malen, Anna? Auch die Beckmann-Zeichnung hättest Du ruhig zur Wand drehen können. Glaube mir, manchmal möchte ich mein ganzes Leben einfach zur Wand drehen. Mit Tini komme ich nicht auseinander, obwohl ich ihr immer wieder aufrichtig sage, daß ich sie nicht liebe. Ich habe ihr einmal in einer Situation beigestanden, in der es ihr sehr schlecht ging und sie Hilfe brauchte und ihr Freund Fred, den wir ja alle nicht leiden können, sie völlig im Stich gelassen hatte. Danach ist sie zu mir gekommen, hat vor meiner Tür gestanden und wollte bei mir bleiben, hier einziehen, aber ich habe sie, wie Du genau weißt, wieder rausgesetzt, weil ich, wie Du auch weißt, hier allein leben will, auch wenn ich wenigen Auserwählten den Schlüssel gebe. Und seitdem geht es eben so: Vor-der Tür-Stehen, Dableiben-Wollen, Raussetzen, Vor-der-Tür-Stehen, Dableiben-Wollen, Raussetzen. Vielleicht ist es inzwischen dieser Rhythmus, der uns aneinander bindet.

Über ihre Mutter möchte ich gar nicht reden. Ich möchte eigentlich überhaupt keine Rechenschaft geben müssen, ich verlange von Dir ja auch keine, Anna. Wenn Du vielleicht meinst, Du würdest mir zuviel hergeben, und wenn Du für irgend etwas Dank möchtest, dann gib mir nichts.

Alan und Crille sind die einzigen Menschen, die ich regelmäßig sehe, hauptsächlich, weil sie Telefon haben und meine Lieferanten und Kunden dort diskret und anonym ihre Nachrichten hinterlassen können, und weil sie außerdem immer zu Hause sind und mich nicht fragen, wie und wovon ich eigentlich lebe. Denn ich frage sie auch nicht, wieso sie den ganzen Tag da rumhängen und immer unglücklich sind, so wie ich auch. Alan und Crille geben sich jeweils gegenseitig die Schuld, während ich wenigstens niemand anderem die Schuld gebe. Falls das ein Verdienst sein sollte.

Meine Anna, es stimmt nicht, daß ich Dir nie gesagt hätte, daß ich Dich liebe. Ich habe es Dir sehr oft gesagt, und ich habe Dir auch oft gesagt, wie schön ich Dich finde, mein Zwerg Nase. Noch vor der Nase aber liebe ich Deinen kleinen Zeh, auf dem so ein ganz winziger Punkt roter Nagellack sitzt, so klein wie eine ganz kleine Erbse, und auf dem ich so oft herumgekaut habe, und Du hast dabei geschnurrt. Und niemals habe ich eine Liebesbeute für mich behalten. Wenn Du später in Deiner Klosterzelle Dein früheres Liebesleben in der Erinnerung durchgehen wirst, wirst du mir jedenfalls das nicht vorwerfen können, daß ich jemals irgendeine Liebesbeute für mich behalten hätte.

Ich habe Dich vielleicht, wahrscheinlich sogar, betrogen, obwohl das auch nicht das richtige Wort ist. Denn das Gegenteil von Betrug ist doch nicht Treue, sondern eher so etwas wie Wahrheit oder Ehrlichkeit. Möchtest Du etwa von mir hören: »Meine Ehre heißt Treue?« Solltest Du das »Eiserne« und »Eherne« etwa schätzen? Die unbedingte Gefolgschaft? Na, siehst Du! Der Grat zwischen Treue und Unmenschlichkeit ist nur sehr schmal. Ich glaube übrigens, daß Du das selber weißt.

Die Liebe ist immer dieser Schmerz, daran erkennt man sie ja.

Anna, alles, was wir zusammen getan und gefunden haben, gehört uns, nur uns beiden und niemandem sonst. Wir haben es geteilt, und zwar nicht brüderlich, sondern fifty-fifty, und Du hast manchmal gesagt, daß Du mit mir glücklich bist, und das hat mich auch glücklich gemacht.

Anna, ich kann Dir nicht mehr geben, als ich habe. Mehr habe ich nicht.

Und wo Liebe ist, ist auch Verrat.

Das sagt dir,

leider,

Dein

Leon

Du hast mich um ein Selbstporträt gebeten, Anna, aber das kann ich nicht. Du weißt, daß ich immer und überall suche und finde. Aber nie mein Gesicht.

Ilana an Anna

Jerusalem, 25. November 1975/
1. Tevet 5736

Liebe Anna!

Nicht, daß ich schon zur Besinnung gekommen wäre, aber ich möchte Dir endlich eine Nachricht geben, auch wenn hier natürlich noch viel drunter und drüber geht. Nicht mehr so sehr in dem äußerlichen Sinne des Ankommens und Ansiedelns, denn sowohl der israelische Staat als auch alle möglichen Organisationen helfen und unterstützen uns in jeder erdenklichen Weise, abgesehen davon, daß wir hier ja eine Menge Freunde und Verwandte angetroffen haben, die schon vor uns, während der verschiedenen großen Ausreisewellen der letzten Jahre weggegangen waren. Nach so vielen Abschieden dort jetzt so viele Wiedersehen hier in Jerusalem.

Das Durcheinander ist also vor allem im Kopf. Ein dauerndes Schwindelgefühl, das wahrscheinlich noch eine Weile anhalten wird, weil jetzt Wirklichkeit geworden sein soll, wovon wir solange geträumt und wofür wir, wie ich leider sagen muß, auch ziemlich lange gelitten haben. Wenn uns in den letzten Monaten vor der Ausreise, während Avi und ich arbeitslos waren, die Lubawitscher in Riga nicht mit allem ausgeholfen hätten, mit Geld zum Leben und um unsere Diplome loszukaufen, und mit Ermutigung und Bestärkung, unseren Weg weiterzugehen, wüßte ich nicht, was aus uns geworden wäre. Da die Juden nur noch tröpfchenweise rausgelassen werden, mußten wir uns auch auf eine längere Existenz als »Refusniks« einstellen, und als wir innerlich schon soweit waren, überschlug sich plötzlich alles, und sie haben uns förmlich rausgeschmissen.

Wir hatten so viele große Entscheidungen getroffen – unsere Rückkehr zum Judentum in einem religiösen Sinne und unsere Rückkehr nach Erez Israel. Wir haben geheiratet, Avi und ich, unter der Chuppe, auf dem Hof von Rivka und Izchak Kogan, die Du beide ja auch kennengelernt hast, in der Oktjabrskaja, und haben dann unseren kleinen Menachem-Mendl bekommen, der uns wahrscheinlich später, wenn er größer sein wird, nach seiner lettischen Geburtsstätte ausfragen wird wie nach einem fernen exotischen Ort und einer geheimnisvollen Vergangenheit.

Ich schreibe diesen Brief auf der Veranda unseres kleinen Hauses auf einem der Jerusalemer Hügel, draußen weht ein milder Wind (in Riga hätte ich jetzt schon meine dicken Wintersachen an), und ich sehe, wenn ich aufblicke, über die judäischen Berge nach Jordanien hinüber. Wenn ich den Brief zu Ende geschrieben habe, gehe ich zur Schwangerschaftsberatung, hier ganz in der Nähe, in einer modernen Poliklinik, von der wir in Riga auch nur träumen konnten, denn ich bin jetzt wieder schwanger, und unser zweites Kind wird s. G. w. hier in Jerusalem im Mai auf die Welt kommen. Wenn ich nach der Schwangerschaftsberatung nach Hause komme, wird Avi auf der Veranda sitzen, in der Uniform der Zahal und mit einer MP über der Schulter, wird mit dem kleinen Menachem-Mendl am Playmobil-Schloß bauen, an dem sie schon tagelang arbeiten, und ich werde immer noch ein wenig erschrecken, meinen sanften Avi als Soldat zu sehen, dabei war es ja sein größter Wunsch, als Arzt in der Zahal dienen zu können, und auch dieser Wunsch hat sich schneller verwirklicht, als wir das je zu hoffen gewagt hätten. Alles, was geschehen ist, seit wir uns kennengelernt haben, Avi und ich, war von so vielen Wundern begleitet, daß wir schon hätten blind und taub sein müssen, um die Botschaft nicht zu hören.

Ich weiß nicht, ob Du dafür irgendein Verständnis hast. In Riga, als wir zusammen am Strand saßen und über die kalte Ostsee sahen und Löcher in den Sand buddelten, haben wir doch darüber gesprochen, was es wohl mit unserem Jüdischsein auf sich haben könne und daß es im Inneren des Judentums etwas geben müsse, das es, entgegen aller Wahrscheinlichkeit, am Leben und lebendig hält. Und Du hast auch gesagt, wie schrecklich und unerträglich es Dir vorkommt, wenn das Judentum nur zu einer einzigen Verfolgungsgeschichte degradiert wird. Avi und ich haben dann gefunden, daß dieses Lebendige im Inneren des Judentums wohl ein Leben nach der Halacha oder wenigstens ein Bemühen um Verständnis des Gesetzes sein müßte, also ein langes Lernen und Nachdenken und die Erkenntnis, daß dieses Gesetz ein Anspruch an uns ist, auf den wir irgendwie zu antworten hätten, auch wenn wir dafür, und hier in Israel ganz besonders, als religiöse Fanatiker und Verrückte angesehen werden, von all den Schlaumeiern, die ein Leben nach der Halacha »mittelalterlich« nennen und »nicht zu einer modernen Gesellschaft passend« und denen offensichtlich noch nicht aufgefallen ist, daß die Halacha erstens nicht mittelalterlich, sondern ein bißchen älter als die Antike ist und zweitens noch all die »modernen« Gesellschaften überlebt hat, die ansonsten nur Schrecken und Zerstörung um sich herum verbreitet haben, bevor sie untergegangen sind, um im besten Falle eine Kultur zu hinterlassen, von der man meistens auch nicht genau weiß, ob man über sie lachen oder weinen soll.

Vielleicht ist unsere Sehnsucht nach Rückkehr in Rumbula entstanden, dem kleinen Wald vor der Stadt, in dem die dreißig- oder fünfzigtausend Juden des Rigaer Ghettos erschossen worden sind und der kein einziges Zeichen der Erinnerung trug, ein verwahrloster und verwilderter Ort, bevor wir ihn in einen ordentlichen Friedhof verwandelten und ein paar Jahre lang dort jeden Sonntag buddelten, schippten, schaufelten, Leichen umbetteten, säten, pflanzten und gärtnerten, alles natürlich gegen den Widerstand der Sowjetbehörden, die gar keinen Anlaß sahen, den erschossenen Rigaer Juden ein Denkmal zu setzen. So wenig, daß sie sogar den Grabstein, auf den wir in Jiddisch »Die Korbones fon Faschism« geschrieben hatten, an einen geheimen Ort abtransportierten, von dem er dann allerdings gleich in der ersten Nacht »wunderbarerweise« gestohlen wurde, um am nächsten Tag wieder genau an der Stelle zu stehen, von dem er deportiert worden war. Von diesem Tag an war Rumbula eine Art Pilgerstätte für alle lettischen Juden, und sogar aus Moskau und Leningrad sind sie angereist gekommen. Das Memorial von Rumbula, von uns gegen die sowjetischen Behörden und die lettische Bevölkerung durchgesetzt, haben wir damals als einen großen Sieg empfunden, auf eine ähnliche Weise wie den Sieg Israels und die Wiedereroberung von Ost-Jerusalem im Sechs-Tage-Krieg. Und genau diese beiden großen Siege, die an Wunder grenzten, waren es, die unser Leben veränderten, in denen wir die Zeichen zur »Rückkehr« erkannten und die uns ja auch erst richtig zusammengebracht haben, Avi und mich.

Und nun wohnen wir hier, in Neeve Jaakov, jenseits der ehemaligen Grenzlinie, in diesem nach zwei arabischen Zerstörungen wiederauferstandenen Ort, und immer wieder, jeden Tag von neuem, kann ich es überhaupt nicht fassen, daß wir nun wirklich am Mittelpunkt der Welt angekommen sind und das Galut ein für allemal hinter uns gelassen haben, auch wenn Jerusalem, wie gesagt, eine so kleine Stadt ist, daß man an jeder Ecke einen der zahlreichen Bekannten oder Verwandten wiedertrifft, von dem man sich ein paar Monate oder Jahre vorher in Riga, Leningrad oder Moskau verabschiedet hat. Alle hoffen jetzt sehr auf die Verträge von Helsinki, die vielleicht wieder höhere Auswanderungsquoten ermöglichen.

Liebe Anna! Bitte sage mir, ob Du weiter mit mir Briefe wechseln möchtest. Ich würde gerne das Gespräch mit Dir fortsetzen, das wir im vorigen Jahr am Strand von Riga geführt haben. Du sagtest damals, daß Du gerne mit jemandem über die »jüdischen Dinge« sprechen würdest, aber Du wüßtest nicht, mit wem. In gewisser Hinsicht hast Du es in der DDR noch schwerer, als wir es in Riga oder Moskau hatten. Ihr seid zwar weniger eingeschränkt, aber ihr seid auch noch viel weniger Juden, und es ist eben Deutschland, mit allem, was dieses Wort an Glanz und Schrecken enthält, und wo man sehr weit in der Erinnerung zurückgehen muß, um mit dem Wort Jude etwas anderes als Assimilation oder Auslöschung verbinden zu können.

Anna, vorsichtshalber schicke ich diesen Brief auf dem Umweg über Wien, wo eine Menge Freunde und Verwandte noch auf ihre Weiterreise warten, weil ich nicht weiß, ob Du Post direkt aus Israel erhalten möchtest oder ob Dich das vielleicht in Schwierigkeiten bringt, bei der im Moment so israelfeindlichen Stimmung seit der schwachsinnigen UNO-Resolution. Wir haben auf unserer Reise von Riga nach Jerusalem wie alle anderen auch drei Tage im Transitlager der Jewish Agency in Wien verbracht, von österreichischen Polizisten vor arabischen Terroristen geschützt! Bei der Gelegenheit habe ich Deinen Freund Walter angerufen, dessen Telefonnummer mir Mischka beim Abschied in Moskau mitgegeben hatte, er hat dann Avi und mich und den kleinen Menachem-Mendl in eines der weltberühmten Kaffeehäuser eingeladen, dessen Charme uns allerdings entgangen ist und dessen Namen ich vergessen habe, weil wir mit unseren Gedanken einzig auf die Ankunft in Israel konzentriert waren.

Ich würde mich sehr freuen, Anna, wenn unser Kontakt nicht abbrechen würde!

Ich grüße Dich sehr herzlich, und Avi schließt sich meinen Grüßen an.

Schalom uweracha!

Deine Ilana

Maria an Anna und Eva

Berlin, Anfang Dezember

Geliebte Schwestern!

Ich erhielt Eure Briefe aus Euren fernen Auslanden und Exilen nahe der baltischen See und nahe den Gebirgen, betreffend das Album der Freunde, was ich wunderbar finde, die Idee, einfach wunderbar. Warum sind wir denn darauf nicht vorher gekommen? Ja, das müssen wir unbedingt machen, mit mir könnt Ihr rechnen, obwohl ich ja immer nur in meinem Hinterhof in der Tucholskystraße stationiere, bloß herumlebe und herumschaue und nie oder nur selten in das brausende Leben hinaustrete. Manchmal tue ich was und meistens nix, manche Tage sind voller Zweifel, aber an anderen Tagen ermutige ich mich doch. Ich sage mir, wenn man zehn Jahre irgendwo arbeitet, dann ist man schon halb tot. Es ist mir wirklich ein Rätsel, wie man pausenlos zur Arbeit und jeden Tag in die Kantine Bockwurst essen gehen kann. Aber oft frage ich mich natürlich, was wir denn mit unseren nackigen Leben anfangen werden, und mit den Langeweilen und Kurzweilen und den Kleidern, die wir ja doch anziehen, denn schöner wärs zwar, nackt herumzulaufen, aber da schämen wir uns doch, und zu kalt ist es ja auch. Wenn das immer so weiter geht und läuft, wo werden wir da angekommen sein, wenn wir vierzig sind? Fragt Ihr Euch das auch manchmal, liebe Schwestern? Werden da Männer an uns hängen, Kinder um uns wimmeln, werden wir Taten getan, einen Gedanken zu Ende gedacht und Werke vollbracht haben? Oder auch bloß Bockwurst essen und maulen?

In Erinnerung an unsere Wanderung im vorigen Jahr habe ich nun endlich das große Reisebild gemalt. Man sieht deutlich unsere Berge und unser Tal und die Burg Troski, von der Alex behauptete, Humboldt hätte sie neunmal besucht und sie würde als das elfte (?) Weltwunder bezeichnet. Im Vordergrund aber sieht man den mährischen Jäger, der um Mitternacht auf den Berg hochkam und uns singend in unseren goldenen Schlafsäcken um das Feuer herum fand, das sich nicht entschließen konnte, hochzubrennen, weil alles, was wir reinwarfen, feucht war, aber auch nie richtig verlöschte, und der erst weitere, bald aber auch engere Kreise um unser Lager drehte, bevor er uns endlich fragte, was wir da eigentlich machen und wir ihm versicherten, daß wir nur Wanderer und keine Wilderer seien, und das glaubte er uns auch, und dann verschwand er wieder im dunklen Wald. Das ist alles auf dem Bild drauf, aber ansehen müßt Ihr es hier, bei mir, weil es in seinen Ausbreitungen zu groß ist, im Gegensatz zu meinem Zimmer, das nur winzige Ausbreitungen hat, wie Ihr wißt, man kann nicht einmal so weit zurücktreten, um das Bild auf ein Foto aufzunehmen.

Eben habe ich die Hofkinder rausgeschmissen, denn vormittags wimmeln sie oft in meiner Wohnung rum, und damit sie sich nicht mit der Schreibmaschine, dem Plattenspieler, dem Malzeug oder meinem Schmuck amüsieren, was sie am liebsten tun, spiele ich ihnen Platten vor, meistens die peruanische Indianer-Platte mit El Condor Pasa aus dem Haus der tschechoslowakischen Kultur, und wir singen dann mit und tanzen auch dazu. Aber wenn sie schließlich alle Bücher rausgezogen und rumgeschmissen und den Obstteller umgekippt haben, mit den Pinseln fechten und anfangen, sich zu prügeln, dann schmeiße ich sie raus.

Was die Verliebtheiten anbelangt, meine Schwestern, das ist ein neues Kapitel. Meistens gefallen einem ja die Männer nicht, die einen gleich wollen, sondern nur die, wo man selbst so viel hingeben muß, und da hängt dann wiederum gleich das Herz dran, und man kriegt es so schwer wieder los. Man schüttet denen sein Herz vor die Füße, und die latschen darauf herum.

Mein Geliebter ist also im Moment vorläufig gerade der uns allen von Film und Bühne bekannte Max Anders. Ich gehe davon aus, daß Ihr das schon wißt, denn Thomas sagte mir neulich, es sei auf der Autobahn, gleich bei der ersten Abfahrt nach Berlin, angezeigt. Mich hats also er-

wischt. Aber ich sitze im ungewissen, weil mein Geliebter sich nicht für mich und auch nicht für oder gegen
seine Familie entscheiden kann, und ich habs eigentlich
langsam satt.

Der Max spielte schon den Wilhelm Tell, als ich noch
am Daumen genuckelt habe, aber er ist stämmig und
sportlich und steht gut im Fleisch, wie ich Euch versichern kann, obwohl er neulich gerade vierzig wurde. Zu
diesem Anlaß hat er mich ins »Ganymed« zum Essen eingeladen, und ich habe ihm als Geschenk ein kleines Werk
aquarelliert, sein Porträt, als eine Art männliche Odaliske,
stämmig, sportlich und gut im Fleische stehend, und dazu
meinen Glückwunsch »Zum Hundertsten!« Leider hat er
sich darüber nur mittel gefreut, ich glaube, er war sogar
beleidigt über den Akt und die harmlose Hundert, denn
bald fand er einen Grund zum Streiten und ist sogar weggegangen. Ich aber habe stur mein Menü bis zum letzten
Gang zu Ende gegessen und auch noch den Kaffee getrunken, so oft bin ich ja nicht im »Ganymed« eingeladen.

Wenn ich ehrlich bin, kann ich mich auch nicht richtig
für ihn entscheiden. Denn wenn er bei mir weilt und verliebt ist und mit mir schläft, dann sagt er, daß er so gerne
richtig mit mir zusammenleben, mich aus meinem Hinterhof herausholen und mit mir in eine große Wohnung
ziehen möchte; die würden wir zusammen einrichten,
meine Bilder an alle Wände hängen und Kinder kriegen
und so. Diese Idee begeistert mich aber ungefähr genauso wie die von den Leuten, die jeden Tag arbeiten und
in der Kantine Bockwurst essen gehen. Und jetzt werde
ich ihm ein Briefchen schreiben: Lieber Max, geh mit
Deiner Frau und den Kindern Bockwurst essen. Tschüß
und Applaus.

Aber die langen Nächte!

Ist aber auch schön allein in meinem Bett, mit dem Kopf an der Wand, hinter der draußen im Hof die Mülltonnen stehen. Und ich denke, in manchen Zeiten ist es eben am besten, nichts zu tun und nichts zu haben. Da merkt man dann, was einem wirklich fehlt.

Also, für das Album der Freunde habe ich viele Bilder, Zeichnungen, Gedichte und Geschichten anzubieten. Das müssen wir aber gründlich besprechen. Bringt bitte Kuchen mit. Für die Bernarda-Aufführung reserviert mir bitte einen Platz in der ersten Reihe, wo immer sie stattfinden wird. Und ich warte auch schon sehnsüchtig auf die Einberufung der Wander-Vollversammlung, denn ich habe interessante Vorschläge zu machen, Wanderungen in ferne Länder des Russenreiches, wo Mohammedaner wohnen, und habe auch Möglichkeiten, die Visa zu besorgen, die man dafür braucht, via Bakschisch. Vielleicht wäre es dann allerdings besser und ratsam, kurzfristig zum Islam überzutreten, ich habe gehört, daß man das eins drei fix haben kann, jedenfalls Frauen. Und das wäre doch auch einmal eine Abwechslung, verschleiert zu wandern, unsere Männer könnten sich dann einbilden, sie hätten ein Harem bei sich, und wir würden uns auch um ihre Esel kümmern. Und abends ins Hammam!

Salem Aleikum, liebe Schwestern. Haltet durch! Die Bockwurstesser lachen wir an die Wand!

Eure

Maria
(de la Esperanza)

Peter an Alex

Lieber Alex, morgen dampfe ich für ein paar Tage ab, und da ich gestern noch den ganzen Abend über unser Gespräch im »Espresso« nachgedacht und Dir meine Gedanken dort vielleicht nicht klar genug ausgedrückt habe, stecke ich den Brief, der sich für eine Beförderung durch die Post nicht eignet, noch schnell in Deinen Briefkasten.

Wie gesagt, theoretisch finde ich die Idee des Albums der Freunde gut, sogar sehr gut, aber praktisch fürchte ich, daß schon mit Gedicht und Prosa, Grafik und Malerei das Wagnis groß genug sein wird. Warum willst Du das Ganze dann noch mehr durch eine geschichtsphilosophische Theorie von mir gefährden? Einen ästhetischen Gegenentwurf, wie wir uns das vorstellen, werden die Genossen sowieso schon schwer ertragen, auch wenn die Texte »unpolitisch« sind und auch wenn wir nur ein einziges Exemplar unter uns herumreichen. Sie fühlen sich, mit Recht, von jeder Manifestation anderen Seins in Frage gestellt. Und sie haben ein sehr genaues Gespür dafür, weil sie nämlich insgeheim ahnen, wie unecht ihre eigenen Verkündungen sind.

Ich würde, wie ich Dir schon oft erklärt habe, das System nicht von links kritisieren, wie Biermann und Havemann, die immer noch glauben, eines Tages den realen durch den wahren Sozialismus ablösen zu können. Ich würde das System eigentlich überhaupt nicht kritisieren, denn in meinen Augen ist jede Kritik bloß eine andere Art des Dafürseins. Meine Ablehnung ist viel radikaler. Ich bin inzwischen dahin gekommen, überhaupt jede Revolution abzulehnen, nicht nur die sogenannte Oktoberrevolution vom November (und so war da alles!), auch die Französische Revolution und alles, was es an revolutionsähnlichen Bewegungen in der Menschheitsgeschichte gegeben hat, zurück bis zu der von Moses organisierten Befreiung aus der Knechtschaft Ägyptens. Es ist immer wieder die gleiche Sache, auf den Traum von der Erlösung folgt eine neue, meist schlimmere Unterdrückung. Der Bonapartismus ist nicht die *Gefahr* jeder Revolution, wie Havemann schreibt, er ist ihre *zwangsläufige* Geißel. Die wahren und einzig wirkungsvollen Umwälzungen finden im Stillen, auf kulturellem Gebiet statt. Wenn wir uns dem in Betrieb, Partei, FDJ organisierten Leben entziehen und einfach nur miteinander sitzen oder Wandern gehen, und selbst unsre ewigen Verwirrspiele der Liebe sind mehr wert als 2000 Worte, auf die doch nur mit Kanonen geantwortet wird. Freilich, das Denken muß sich auch artikulieren, sonst stirbt es ja, aber nicht im Visier des Feindes. Vorsicht ist hier nicht Feigheit, sondern Einsicht. Denn soviel ist wohl klar, wir müssen uns auf lange einrichten.

Wir werden über alles noch reden, besser vielleicht im Wald, auf einer der nächsten Wanderungen.

Viel Glück derweil, Grüße an die anderen, und bitte meine Abwesenheit im »Espresso« für ein paar Tage zu entschuldigen.

Tschüssikowski!

Peter

5. 12.

Liebes Lieschen!

Fast alle, mit denen ich über das »Album der Freunde« gesprochen habe, wollen mitmachen. Peters Brief kennst Du ja. Hast Du Matti schon gefragt? Wir sprechen ja nicht mehr miteinander.

Warum läufst Du nach den Bernarda-Proben immer so schnell weg? Wir müßten noch so viel bereden und besprechen! Gehst Du mir etwa aus dem Weg?

Vielleicht sollte ich noch einmal etwas klarstellen. Sanda sagte mir heute im »Espresso«, Du würdest glauben, daß ich über Dein Verhältnis mit Leon sauer oder böse sei, und daß Dir das Sorgen bereitet.

Lieschen, es geht mich gar nichts an, mit wem Du Dich gerade liebst, und wenn es ernst sein sollte, akzeptiere ich es natürlich auch, aber eben dessen war ich mir nicht so sicher. Doch das kann auch ein ganz falscher Eindruck sein, man sieht ja die Menschen nur von außen, und die meisten tragen eine Maske vor sich her, die sie verbirgt; man sollte also nicht leicht urteilen, und das tue ich auch nicht. Ich kenne Leon fast gar nicht. Bitte mache Dir darüber weiter keine Sorgen und laß uns versuchen, daß alles wieder so wird wie vorher, ich muß euch doch auch noch »Die hundert Tage von Sodom« vorlesen.

Neulich habe ich von Dir geträumt, da hast Du zusammen mit Maxim Gorki im Meer gebadet, ihr habt euch geküßt, ich habe es von einer Steilküste aus beobachtet, mich sogar noch gefragt, wie macht der denn das mit dem Schnauzbart? Ich kam mir dumm vor, aber der Drang, euch zu beobachten, war doch stärker, und dabei fiel ich runter von dem Felsen. Ihr wart weg, dafür hat mich ein

Polizist angehalten und gefragt, was ich da mache, ich solle mich ausweisen, und er duzte mich. Darüber war ich außer mir und verlangte den Oberkommandierenden der Polizei zu sprechen wegen dieser Frechheit.

Empfang Walter und Reisebegleitung gehen klar, ich habe in der Woche nur zweimal Kulissenschieberdienst. Auf dem Wege nach Prenzlau werden wir Preußen entdecken, sozusagen auf Kleists Spuren. Den hats auch fertig gemacht.

Wegen der Schwierigkeiten mit den Leuten im Theater und der »Leitung« mußt Du nicht gleich hysterisch werden, es ist doch immer so, daß man, wenn man mittendrin ist, in einer bestimmten Phase glaubt, daß das Ganze nie was wird und werden kann. Eva sagt auch, sie hätte noch nie eine Inszenierung erlebt, wo nicht der Punkt kam, an dem alle glaubten, das könnte nur eine Katastrophe geben. Das Wichtigste ist, daß Du Dir nichts anmerken läßt. Daß Du souverän bleibst, wenn Dir das möglich ist. Warum hilft Dir Lutz nicht? Was ist denn mit dem los? Du mußt durchhalten, wenigstens bis zur Premiere, mußt denen zeigen, daß Du's schaffst. Denn das ist es ja gerade, was sie uns beweisen wollen, daß wir unfähig sind und nichts zustande bringen.

Jetzt noch was Wichtiges. In Greifswald ist die Stelle des Oberspielleiters frei geworden, und ein paar andere Stellen sind auch noch frei, die seit langem gar nicht mehr besetzt wurden. Bosch hat jetzt gute Aussichten, die Stelle zu kriegen, weil er den Intendanten noch von der Schule kennt. Valentin geht wahrscheinlich als Regisseur mit, Pieter Klein als Bühnenbildner, sie wollen dort eine Truppe zusammen engagieren. Schicke *sofort* Deine Bewerbung nach Greifswald, Eva hat ihre schon abgeschickt. Wenn alles gut geht, könntet ihr dort ab der nächsten Spielzeit wirklich was auf die Beine stellen. Bosch will als erstes »Fräulein Julie« inszenieren, Valentin ein Stück der russischen Avantgarde, und da das Deine Spezialstrecke ist, sind Deine Chancen, daß er Dich dafür holt, groß. Ich werde schon mal mit ihm darüber reden, sehe ihn ja dauernd in der Volksbühnen-Kantine. Vielleicht kannst Du auch auf Honorarbasis eine Übersetzung für ihn machen. Oder sowas.

Als ich neulich mit Thomas bei Heiner war, saß noch ein Dramaturg aus Westberlin mit rum, der hat sich gleich für mein Stück (Rummel und Bummel) interessiert, und natürlich auch brennend für das Bernarda-Projekt und das »Album der Freunde«. Von beidem habe ich schon mal so gesprochen, als ob alles fast fertig wäre. (Allmähliche Selbstüberzeugung beim Reden.) Er fand das »wahnsinnig spannend« und meinte, dafür würden sich bestimmt mehrere im Westen interessieren, und ich dachte mir, das kann ja nichts schaden. Ansonsten hatte er Heiners Tisch unter Intershopsachen begraben, der bog sich geradezu unter Zigarren, Zigaretten, Kaffee, Wein und Whisky, der Tisch, und ich brauche Dir nicht zu sagen, wie schnell wir alle betrunken waren. Um Mitternacht brachten wir den Dramaturgen zur Grenze zurück, aber dann ging die Kantinentour erst richtig los, und als wir in der Volksbühne auf Fritz stießen, wars natürlich gleich ganz aus. Am Ende mußten wir noch alle mit dem Taxi zu ihm nach Hause fahren, erstens, weil er Angst vor seiner Frau hatte, wegen des ewigen Betrunkenseins, und zweitens, um den Genever auszutrinken, den er von seiner Penthesilea-Inszenierung in Rotterdam mitgebracht hat. Dann wurde bis fünf Uhr morgens rumphantasiert, was wir alles noch für tolle Stücke schreiben und aufführen werden. Thomas verabschiedete sich mit dem Versprechen, bis nachmittags um drei ein Stück fertig geschrieben zu haben, das Fritz ja dann ab vier proben könne, falls er bis dahin ausgeschlafen hätte, aber ein bißchen Arbeitsdisziplin müsse schließlich schon sein.

Machs gut, Lieschen. Bis bald, ich telegraphiere noch Ankunft Walter.

Dein Alex

Mum an Anna

Berlin, den 4. 12. 75

Liebes Töchterchen!

Bin also wieder in der Hauptstadt. Der Schock der Rückkehr in das häßliche Berlin ist immer einigermaßen groß, es kostet mich jedesmal ein paar Tage, bis ich ihn verwunden habe. Gegen Wien kann man ja sagen, was man will, aber schön ist es doch. Ich gewöhne mich auch immer schnell daran, jeden Tag gleich mehrere Zeitungen zu lesen, es ist nun mal meine Leidenschaft. Morgens bei Paul die Neue Zürcher Zeitung, auf die er abonniert ist, dann später im Kaffeehaus noch deutsche und englische und ab und zu »Le Monde«. Ich habe nur bedauert, daß ich nicht genug Italienisch kann, um auch noch die italienischen lesen zu können. In den Kinos allerdings gab es keinen einzigen interessanten Film, ich war wütend! Der Wiener Charme ist auch im Abnehmen begriffen, denn die Leute auf der Straße sind inzwischen fast genauso unfreundlich, unhöflich und schnauzen so herum wie in Berlin.

Hier haben sich in meiner Abwesenheit lauter langweilige Dinge angehäuft, die ich erledigen muß, dabei finde ich aber meine täglichen Gewohnheiten wieder, und abends mache ich meine Besuche, lese oder sehe fern. Und am Wochenende schon kommen Lottis Nichten aus London, um die ich mich kümmern muß, weil sie kein Deutsch verstehen. Obwohl sie ja im Alter besser zu Dir passen würden, nehme ich an, daß Du dafür keine Zeit haben wirst?

Übernächste Woche allerdings reisen dann Anita und Jean aus London bzw. Paris hier an. Da fände ich es angebracht, wenn Du es Dir irgendwie einrichten könntest, dabeizusein. Ich habe eben schon einen Tisch im »Ganymed« bestellt. Sie würden sich doch sehr freuen, Dich zu treffen, und Du hast sie doch auch gern, so oft siehst Du sie ja nicht. Bitte ziehe Dich für diesen Abend dann auch ein bißchen hübsch an, vielleicht eines von den beiden Kleidern, die ich aus Wien mitgebracht habe.

Frau Kluge hat inzwischen in Deiner und meiner Wohnung saubergemacht, alle Gardinen gewaschen und wieder aufgehängt, auch wenn Du das noch so überflüssig findest.

Gestern hat mich Alex besucht, und ich habe ihm bei der Gelegenheit alle Bücher und Platten übergeben, die ich auftragsgemäß mitgebracht habe. An der Grenze wurde ich so gut wie überhaupt nicht kontrolliert. Alex hat mir vom Stand eures Theater-Projekts erzählt und von der neuesten Idee eines »Albums der Freunde«, aber auch von Deinem Ärger im Theater, von dem er offensichtlich mehr weiß als ich.

Liebes Töchterchen, ich weiß, daß Du gleich böse wirst, wenn ich Dir Ratschläge zu geben versuche. Ich tue es trotzdem. Ich bitte Dich, in bezug auf diese Projekte genau zu überlegen, was Du Dir leisten kannst und was nicht und womit Du Dir eventuell so schaden kannst, daß Du aus einem normalen Berufsleben ganz herausgedrängt wirst. Der Spielraum ist klein, und ich rate Dir keineswegs, ihn noch freiwillig zu verengen, aber eben auch nicht, seine Grenzen zu weit zu überschreiten, aus dem eben genannten Grund. Ich habe das so ähnlich auch zu Alex gesagt. Man kann sich hier schnell in eine Dissidentenrolle hineinmanövrieren, bevor man überhaupt je etwas zustande gebracht hat, das einzige, was zählt. Aus vielen Gründen kann eine Subkultur hier nicht entstehen und bestehen wie in Moskau, woran Du Dich vielleicht manchmal orientierst.

Wie gesagt, ich will Dich nicht hin zu einer unbedingten Anpassung beeinflussen, aber 1. wie stellst Du Dir eigentlich in materieller Hinsicht Deine Zukunft vor? und 2. kann Dir die Lektion, wie man Kompromisse macht, auch nicht schaden.

Sieh Dir die Leute nur gründlich an: So sind sie! So und nicht anders, und mit ihnen mußt Du leben und arbeiten, ohne Dich zu demütigen, aber auch ohne zu großen Stolz.

Das Überleben des Judentums über die Jahrtausende übrigens, das vielen so rätselhaft erscheint, ist meiner Meinung nach nur dem gelungenen Ausgleich zwischen Beharren auf dem Eigenen und Anpassung an das Fremde gedankt.

Du weißt, mein Töchterchen, daß ich Dich nicht bevormunden, sondern nur vor falschem Tun und Handeln bewahren will.

Was den Besuch des »Geheimagenten Kupfer« angeht, sagst Du ihm, falls er noch ein nächstes Mal bei Dir auftauchen sollte, daß Du keinen fremden Mann in Deiner Wohnung empfangen möchtest, und wenn es etwas zu besprechen gäbe, könnte er Dich ja in seine Dienststelle bestellen. Es würde mich wundern, wenn der »Kontakt« damit nicht schnell beendet wäre. Die Tatsache, daß Du von dem Besuch überall herumerzählt hast, hat die Angelegenheit wahrscheinlich eh schon erledigt.

Das Visum an Walter ist via Hilde schon in Wien angekommen. Ich kümmere mich um Theaterkarten, Du bzw. Alex kümmert Euch dann bitte um den Rest.

Jetzt muß ich mich erst einmal von meiner Reise erholen, in Wien habe ich immer so ein riesiges »Gesellschaftsprogramm«, daß mir am Ende jedes Tages ganz schwindlig vor Erschöpfung ist und ich richtige Kreislaufprobleme bekomme.

Bitte ruf doch mal kurz an, wenn Du am Wochenende nicht kommst.

Gib auf Dich acht!

Love,

Deine Mum

Anna an Leon

Sonntag

Leon, ich bin traurig und verzweifelt. Du bist nicht gekommen, obwohl Du Dich so fest für das Wochenende angekündigt hattest, oder habe ich etwas gelesen, das Du gar nicht geschrieben hast? Doch, Du hast geschrieben »komme ganz bestimmt am nächsten Wochenende«, und dann vom schmalen Bett, schwarz auf kariertem Papier! Was ist denn los? Was ist passiert? Wie soll das weiter gehen, wenn wir uns immer verfehlen und nirgends mehr treffen? Ich komme auch nicht aus Prenzlau weg, denn ich muß heute nachmittag ja die Konzerteinführung halten, zu der sie mich auch noch verdonnert haben.

Gestern abend, nachdem Du nicht gekommen warst, habe ich mir diese Sinfonie bei Michi angehört, denn ich habe ja keinen Plattenspieler in meinem Hotelzimmer, und Michi hat mir dazu Spaghetti mit Tomatensauce gekocht, und es war eigentlich schön, die Sinfonie anzuhören und dazu Spaghetti mit Tomatensauce zu essen, weil ich ja sowieso schon traurig war und beim Zuhören nichts sagen mußte und meinen Gedanken nachhängen konnte, die freilich nicht für meine Konzerteinführung taugten, denn die Leute wollen ja was erklärt bekommen und was erfahren und lernen, und materialistisch-parteilich soll es auch noch sein.

Leon, Du bist nicht gekommen, und das hatte ich schon befürchtet, aber habe doch gewartet. Es kommt mir vor, als hätte ich schon ziemlich oft auf Dich gewartet und Du bist nicht gekommen. Und Du wolltest mir doch oft schreiben! Nun sehen wir uns nicht, hören uns nicht, und Du schreibst mir fast nie.

Warum bist Du so unzuverlässig? Ich habe doch Sehnsucht nach Dir. Hast Du keine Sehnsucht mehr? Ich habe gewartet, und Du tust mir weh. Ist es Dir vielleicht nicht wichtig, daß wir etwas zusammen tun und erleben? Du wolltest mich auch einmal mit zu Herrn Horn nach Königswusterhausen nehmen. Und das schmale Bett?

Das Wort Treue habe ich nicht ausgesprochen, also leg es mir bitte nicht in den Mund.

Aber die Warterei. Die Unzuverlässigkeit. Die Unruhe.

Du schreibst, daß Du jeden Morgen mit einem völlig unbegründeten Optimismus aufstehst, der sich im Laufe des Tages in völlige Verzweiflung verwandelt. Bei mir ist es genau umgekehrt. Morgens wache ich in Angst und Panik auf, weiß nicht, wo ich die Kraft zum Aufstehen hernehmen soll, und dann, beim Frühstück, steigt ein bißchen Courage in mir auf, und im Laufe des Tages werde ich langsam immer mutiger und möchte schließlich überhaupt die ganze Welt herausfordern und mein ganzes Leben an einem Tag bewältigen, aber von diesen gigantischen Gefühlen erschöpfe ich mich schnell. Da die Bewegung unserer Stimmungen also gegenläufig ist, müßten wir ungefähr am frühen Nachmittag den gleichen Verzweiflungspegel erreicht haben. Wahrscheinlich gerade jetzt, es ist drei Uhr nachmittags, und in einer Stunde muß ich meine Konzerteinführung halten. Ich habe sie mir schließlich aus den Büchern zusammengeschrieben, die mir der Musikdramaturg geborgt hat, der ansonsten nur fragte, was ist denn mit Ihrer Inszenierung los? Er hatte es also auch schon erfahren, daß alles nicht mehr so richtig klappt, aber ich habe bloß geantwortet, was soll denn schon los sein?, weil ich ihn sowieso hasse seit der Betriebsversammlung, wo sie alle auf Israel herumhackten und ich mich so verletzt fühlte.

Liebster, nächstes Wochenende komme ich ganz bestimmt nach Berlin, Samstag ist wieder Bernarda-Probe, vorher komme ich vorbei, und hinterher natürlich auch, falls Dir das nicht zuviel wird, wegen der Unabhängigkeit oder wegen Tini oder ihrer Mutter oder ich weiß nicht warum.

Ich habe immer noch so große Sehnsucht nach Dir. Vielleicht ist es bloß eine Sehnsucht, die ins Leere läuft. Läuft und läuft, und leider laufend traurig

Deine Anna

Leon an Anna

Samstag ganz früh

Anna, Liebste, also es ist etwas dazwischengekommen. Es ist etwas Ungewöhnliches geschehen. Ich hoffe, dieser Brief erreicht Dich noch rechtzeitig, ich gebe ihn Herrn Horn mit, der gerade auf Tour nach Stralsund fährt und mir versprochen hat, ihn auf dem Weg in Deinem Hotel in Prenzlau abzugeben oder Dich sogar im Theater abzupassen. Du wirst gleich verstehen, daß ich schwer am Telefon darüber sprechen kann, und das, was ich Dir jetzt mitteilen werde, mußt Du ganz geheim halten. Höchste Geheimhaltungsstufe! Top secret.

Die alte Frau, die hier drei Häuser weiter wohnte und für die ich manchmal eingekauft und Kohlen geholt und der ich auch sonst manchmal ein bißchen Gesellschaft geleistet habe, Frau Wagner, Du hast das nie verstanden, warum ich das tue, bei so einer ollen Frau in einem Pankower Hinterhof, ich aber habe es genossen, auch deshalb, weil sie nicht in mich verliebt war – jedenfalls, sie ist jetzt gestorben. Da ich der einzige war, der sich je um sie gekümmert hat, habe ich nun auch die Ehre, ihren Haushalt auflösen zu dürfen, das haben sie mir gestern abend mitgeteilt, und ich bin gleich rübergegangen, um mich erst einmal umzusehen. Sie hatte eine Menge interessanter Bücher, das wußte ich ja, sonst nur Schrott. Der Schatz war also zwischen den Büchern, ich hatte schon so etwas geahnt, sie aber nie nach etwas gefragt und natürlich auch in ihrem Beisein nie herumgestöbert. Frau Wagner hat mir einmal erzählt, daß sie die Freundin von Hildegard Krohn war, der jüdischen Geliebten von Georg Heym, für die er das Gedicht »Deine Wimpern die langen, deiner Augen dunkle Wasser…«

geschrieben hat, das wir zum schönsten Liebesgedicht aller Zeiten und Völker erklärt haben, ich habe es Dir schon ein paar Mal vorgelesen. Sie hat mir auch erzählt, wie Hildegard Krohn später von den Nazis abgeholt und deportiert wurde, gleich in ihrer Straße nebenan, und aus den Lagern ist sie nicht mehr zurückgekehrt.

Ich sehe also die Bücher durch, da steht »Der ewige Tag«, Erstausgabe 1911. Aber das ist auch noch nicht die Sensation, die kommt jetzt: Alle Gedichte sind von Heym handschriftlich korrigiert, vorne steht eine Widmung für Hildegard und hinten, auf der leeren Seite, ebenfalls von ihm handgeschrieben, das Gedicht »Die Tänzerin in der Gemme«, das ja in allen späteren Ausgaben zu dem Zyklus gehört, aber in der Erstausgabe noch fehlt.

Das Buch habe ich natürlich mitgenommen, ich glaube es niemandem wegzunehmen, denn es fällt ja sonst nur dem Staat zu, der es auch bloß verschiebt, das mache ich dann lieber selbst. Nun muß ich versuchen, dafür einen Liebhaber und Connaisseur zu finden, vielleicht sogar eher ein Literaturarchiv, und dann habe ich hoffentlich für eine Weile ausgesorgt, wenn ich das klug und vorsichtig anstelle. Bei Alan und Crille gibt es immer Kontakte, ich muß mich jetzt erst einmal gründlich beraten und dann eine zuverlässige Person finden, der ich das Buch anvertrauen kann und die es mit rübernimmt. Vielleicht Walter, von dem Du sagtest, daß er bald nach Berlin kommen würde? Könntest Du das bitte vermitteln, wenn Du ihn siehst? Du kannst Dir gar nicht vorstellen, wie aufgeregt und euphorisch ich bin, kurz vor dem Durchknallen. Du verstehst bestimmt, daß ich mich jetzt darum kümmern muß, und wirst staunen, wenn ich Dir das Buch und die Handschrift dann zeige.

Anna, ich kau dich ganz durch, und Du mich bitte auch.

Leon

Anna an Ilana

Prenzlau, 7. 12. 75

Liebe Ilana!

Ich habe mich sehr über Deinen Brief und Deinen Bericht gefreut, war ja nach Deiner Karte aus Jerusalem schon sehr gespannt, wie es euch weiter ergangen ist. Meine Mutter hat sich in Wien gerade die Schleuse ins Gelobte Land angesehen, aber da wart ihr schon durch.

Nein, Deine Briefe sollst Du nicht über Umwege schicken, es ist für mich ein schönes und eigenartiges Gefühl, einen Brief oder eine Karte mit Poststempel Jerusalem in der Hand zu halten. Das wäre ja noch schöner, wenn ich Post aus Israel nur heimlich erhalten könnte und mir das Ärger einbringen sollte. Ein paar Freundinnen meiner Mutter, Genossinnen natürlich, reisen jedes Jahr regelmäßig nach Israel, weil sie dort ihre Familie haben. Ich glaube, das ist so ein Agreement, der Staat läßt sie fahren, und sie schlucken dafür seine israelfeindliche Politik. Eine offen judenfeindliche Haltung würden sie hier nicht wagen, und wenn sie den Zionismus noch so sehr zum Rassismus deklarieren. Daß wir in Deutschland leben, schützt uns jetzt paradoxerweise, und auch die gewisse Prominenz unserer Eltern in diesem Lande; ihre antifaschistische Vergangenheit, die ja der erlogene Gründungsmythos dieses Landes ist, bewahrt uns vor Zudring-lichkeiten.

Komischerweise kann ich mir eigentlich ein Leben in einem jüdischen Land, ständig unter Juden, nur schwer vorstellen. Vielleicht geht es mir hier in der DDR nicht schlecht genug, damit ich mir das herbeiwünsche, dieses Land. Auch der Eingang in ein religiöses jüdisches Leben scheint mir verschlossen, wahrscheinlich, weil mich meine Eltern in dem militanten Atheismus erzogen haben, der zu ihrer politischen Überzeugung gehörte, ich habe ihn zwar immer als dumm und unwahr empfunden, aber es fehlen mir noch die wunderbaren Ereignisse und Erleb-nisse, um ihn einfach über Bord werfen zu können.

Ich habe mir aber gemerkt, was Du mir am Strand von Riga erklärt hast – daß hebräisch, Hebräer usw. von dem hebräischen Verb durchschreiten, durchqueren kommt. Also gibt es vielleicht in mancherlei Beziehung noch ein paar Grenzen, die zu überschreiten sind.

Die nächste Grenze, die ich überschreiten werde, ist übrigens erst einmal die zum Heimatland aller Werktäti-gen, und ich freue mich schon darauf, wieder bei Mischka in Moskau in der Küche zu sitzen. In dieser Küche fühle ich mich fast zu Hause, von all den Leuten behütet, die um Mischka herumkreisen, sei es in der Wirklichkeit oder in ihren Erzählungen, und wo auch wir beide uns ja kennengelernt haben. Sonst wäre ich nie nach Riga ge-kommen und hätte nie eure Theateraufführung »Mas-sada« in Avis Wohnung, vielmehr in dem kleinen Neu-bauzimmer gesehen, wo einem die Schauspieler dauernd auf die Füße traten, weil das Publikum so nah dran saß. Und Avi hielt die Taschenlampe, das war die Beleuchtung. Ich denke oft an diese Aufführung. Mit wenigen Insze-

nierungen von Strehler, die ich gesehen habe, und denen
von Ljubimow an der Taganka war das eines meiner
schönsten Theatererlebnisse. Ich habe in Berlin oft davon
berichtet, und das hat vielleicht auch dazu beigetragen,
daß wir dort jetzt selber so etwas ähnliches versuchen,
eine Theateraufführung im Zimmer.

Rumbula habe ich damals nur von weitem gesehen. Ich meide Gedenkstätten, da ich ja selber denken
kann. Nein, das klingt zynisch, und in Wirklichkeit ist es
wahrscheinlich nur Angst vor Hilflosigkeit und Alpträu-
men. Ein Bekannter meiner Mutter, Herr Jakob, der als
Junge im KZ Stutthof war, hat mir gerade neulich erzählt,
wie er eines Tages dorthin zurückgekehrt ist, in dieses
KZ, das glaubte er seinen Eltern schuldig zu sein, die
beide dort umgebracht worden sind. Er hatte den Bus
von der nächsten Stadt genommen, und bis kurz vor der
Station des Lagers war der Bus ganz voll, an der Lager-
Station aber saß er nur noch ganz allein im Bus, alle anderen waren vorher schon ausgestiegen. Er hatte einen
Blumenstrauß gekauft, den er dort irgendwo hinlegen
wollte. Eine ordentliche Straße führt nun zum Lagerein-
gang, rechts und links saubere Bürgersteige unter Bäu-
men. Aber wie unter Zwang, erzählte Herr Jakob, konnte
er nur in der Mitte der Straße laufen und marschieren,
drei, vier, obwohl er natürlich viel lieber wie ein normaler
Fußgänger auf dem Bürgersteig gehen wollte. Doch seine
Füße marschierten und marschierten weiter in der Mitte
der Straße, drei, vier, drei, vier; er hat schon vor Wut geheult, aber er hat seine Füße nicht von dieser Straße her-
untergekriegt, die zum Eingang des Lagers führt.

Mir fehlt jede mystische Beziehung zu Orten. Auch an
der Klagemauer in Jerusalem würde ich wahrscheinlich

bloß zu kichern anfangen. Ich finde es eigentlich gut, daß das Judentum keinen Ort hat und das Innere, wie Du es nennst, ausschließlich Handlung, also etwas Bewegtes und vielleicht Bewegendes ist.

Bitte verstehe mich nicht falsch. Ich bewundere euch für die radikale Veränderung eures Lebens, die ihr gewagt habt, und den Glauben, das Galut hinter euch lassen zu können.

Ich dagegen – mein Leben ist ungeordnet und unordentlich, überall liegen unfertige Dinge herum, mit denen ich nichts Richtiges anfangen, die ich aber auch nicht richtig beenden kann, von denen ich nicht einmal weiß, wohin ich sie räumen soll. Vielleicht wird sich ja eines Tages alles zueinander fügen, wie es muß; wahrscheinlich gerade an einem Tag, an dem ich, ausnahmsweise, überhaupt nicht daran denke.

Ich bin sehr neugierig, was Du mir noch alles schreiben und berichten wirst, und bitte ausführlich, wenn Du dafür die Zeit findest.

Ich grüße Dich sehr herzlich, Dich, Avi und den kleinen Menachem-Mendl. Ich wünsche Dir Gesundheit für die Schwangerschaft und Euch zusammen viel Glück und Schalom,

Deine Anna

Matti an Anna

Jena, den 5. 12. 75

Liebe Anna!
Eben habe ich mir noch einmal Deinen Brief hergenommen und mit Liebe darin gelesen. Wenn Du wüßtest, wie verbannt ich mir hier vorkomme! In so weiter Ferne und

fremder Betätigung. Ich weiß nicht, ob Du schon mal in Deinem Leben ein Chemielabor von innen gesehen hast, ich nehme an, nein, wozu auch. Ich sitze hier meine Zeit ab, tue, was zu tun ist, muß mich ab und zu von irgendjemand vollschwafeln lassen und habe nicht einmal Lust, Dir zu beschreiben, was ich hier jeden Tag tue und erlebe. »Einzig mit seelischen Dingen beschäftigt, langweilt mich die Wiedergabe äußerer Umstände«, wie Stendhal sagt.

Vor meinem Fenster sehe ich eine Industrielandschaft, über der wenigstens die Sonne alles ein wenig erträglicher erscheinen läßt, in meiner Vorstellung aber sehe ich Dich, in Deiner Wohnung, auf Deinem Sofa sitzend, darüber Deine Bilder und Zeichnungen, einige, die wir zusammen, nach der Natur, gemalt haben, als wir im vorigen März und April Eduard Manet und Berthe Morisot spielten (Du – Eduard Manet, ich – Berthe Morisot), Du an der Feldstaffelei und ich auf den Knien aquarellierend, bevor wir dann unser Frühstück im Freien auspackten.

Ich danke Dir für Deinen Brief und daß Du mich zum »Album der Freunde« einlädst. Aber Anna, wo, bitte, wollt ihr denn so etwas veröffentlichen? Oder geht es gar nicht um Veröffentlichung, sondern nur um ein Zusammentragen und Zusammentun? Bedenkt auch bitte, daß Anthologie immer Museum ist, um nicht zu sagen Mausoleum, auf deutsch Grabstätte. Wenn wir unsere »Werke«, die doch allesamt nur Sehnsucht nach Berührung und Tröstung sind, plötzlich »zusammenstellen«, werden sie dann nicht herausgerissen aus ihrer Intimität und isoliert, starr und steif aussehen, wie Gegenstände im Geschäft, die darauf warten, gekauft zu werden? Ich weiß nicht.

Und noch etwas anderes weiß ich nicht. Wo eigentlich wäre denn mein Platz in diesem Unternehmen? Gerade weil Du es bist, die mich darum bittet – ich bin nicht und möchte nicht einfach einer Deiner Freunde sein, ich war doch Dein Geliebter und will mich nicht plötzlich so kühl unter die »Freunde« einrangiert sehen. Für mein Gefühl jedenfalls sind wir doch noch immer durch etwas viel Stärkeres miteinander verbunden, etwas, das bei jedem unserer seltenen Wiedersehen diese Explosionen hervorruft, von denen ich mich im übrigen immer schwerer erholen kann.

Anna, Du kannst mich nicht wie Deine Nachttischlampe anknipsen!

Gut, ich werde mir alles überlegen, denn ich will Dich, Eva, Alex und die anderen ja nicht behindern. Das nicht. Natürlich nicht.

Von Maja bin ich schon wieder getrennt, wie Du wahrscheinlich gehört hast, natürlich hat sie mich verlassen, wie mich ja alle Frauen verlassen, wahrscheinlich weil ich so langweilig bin, daß es mir noch nicht einmal im Traum einfallen würde, eines der vielen Gifte, zwischen denen ich hier in meinem Labor die Auswahl habe, zu schlukken, wie Leon das getan hat, mit dem Du jetzt, wie ich wiederum gehört habe, zusammen bist. Kein Kommentar. Es fehlt ihm ein bißchen Kinn, finde ich, aber sonst kenne ich ihn kaum, im Gegensatz zu Alex, mit dem ich doch früher befreundet war und oft gequatscht habe, natürlich immer nur über Kunst und Politik, in der Kneipe, die zwischen unseren Wohnungen lag, oder im »Espresso«, bevor uns das, worüber wir nie gesprochen haben, dann entzweit hat.

Meine Tage gleiten hier also in langsamer Sittsamkeit

hin, und ich horche in mich hinein und der Wehmut nach, um die mein Leben kreist. Die zwingenden Verhältnisse des Arbeitsalltags lenken meinen Blick davon ab, aber nur, um danach um so dringender dorthin zurückzukehren. Und das Malen steht genau zwischen diesem Blick nach innen und dem Alltag, es scheint mir inzwischen schon so eng mit mir verwoben, daß ich tatsächlich darin einen Halt finden kann, wenn ich mir zu entgleiten fürchte.

Die Malerei ist ein eigenartiger Spiegel. Jedes Bild und jede meiner Zeichnungen enthalten so viel inneren Anlaß und Verbindung mit geliebten Menschen, Dingen und Ereignissen, und meine Arbeit daran, das ganze »Gestalten«, ist nur der verzweifelte Versuch, diesen Menschen, Dingen und Ereignissen nah zu bleiben und mich gleichzeitig von ihnen zu lösen. Ich könnte sagen, es ist der Versuch, Fassung zu bewahren. Es hat also nichts mit erkennen und beschreiben zu tun. In diesem Sinne ist Malen ein magischer und gefährlicher Vorgang. Irgendwo habe ich einmal über Narziß gelesen, daß er ja nicht in sich selbst, sondern in sein Bild verliebt war, was etwas ganz anderes ist.

Wenn ich bloß wüßte, wie ich mich jemals von meinem gebremsten, melancholischen Leben erlösen kann, von der Lethargie und der Angst, in einer völlig marginalen Existenz mein Leben als Sonderling zu vertun.

Weißt Du, Anna, Dein Brief hat mich glücklich gemacht und mich heftig erregt, und jetzt, wo ich Dir diese dumme Antwort schreibe, bin ich verlegen, unglücklich und aufgeregt.

Ich werde mir alles noch überlegen. Vielleicht könnte ich euch ein paar von meinen neueren Bildern aussuchen, die man in dem »Album« z. B. älteren Skizzen und Entwürfen gegenüberstellen könnte, »work in progress«, ein Zusammenhang. Ein Gespräch unter Bildern.

Aber die »Disputation über die Liebe«, auf die Du in Deinem Brief anspielst, möchte ich auf gar keinen Fall für eine Veröffentlichung hergeben, auch nicht für einen kleinen Kreis von Freunden. Das ist ja nur eine Disputation mit mir selbst, Bekenntnisse einer leicht angeschlagenen Seele, nur für Dich geschrieben und mit zu vielen süßen Worten darin, die Dir einfach bloß eine Erinnerung an mich, an uns und die kurze Zeit unserer Liebe im März und April bleiben mögen.

Dieser Brief mag traurig klingen, ich bin meistens traurig, aber von der Art Traurigkeit, die eine Schwester des Zorns ist, wie wiederum Stendhal sagt. Anna, wenn Du manchmal in Prenzlau spazierengehst, nimm mich bitte ein Stück neben Dir mit, in Gedanken.

Dein Matti

Anna an Eva

Prenzlau, 8. 12.

Liebe Eva!
Ich könnte vielleicht eine Erzählung beitragen. »Anna kam in die Provinz.«

Anna fuhr in die Provinz. Da sollte sie jetzt arbeiten, und sie hatte sich den Ort, der so unbekannt ist, daß man seinen Namen wirklich nicht zu nennen braucht, selbst ausgesucht. An diesem unbekannten Ort wollte sie ja auch nicht ihr ganzes Leben bleiben, aber ein paar Wochen oder Monate, und dazu hatte sie einen Vertrag unterschrieben, weil sie nun genug studiert und assistiert

hatte und an dem Theater dieses kleinen Ortes ohne Na-
men ihr Debüt als Regisseurin geben konnte.

Auf dem Weg in die Provinz war Anna von Süden nach
Norden gefahren und hatte aus dem Fenster des Zuges ge-
sehen, wie die Landschaft immer flacher und flacher
wurde, ein plattes Land, über das sie bis zum Horizont
sehen konnte, und das machte Anna angst. Kein Geheim-
nis und nirgends ein Versteck. Hier konnte man alles be-
obachten und überall beobachtet werden. Das ist also
Preußen, dachte Anna.

Ungefähr so könnte die Erzählung dann anfangen.

Oder: »Wer die Einsamkeit des Theaterregisseurs versteht.« Wie er immer unten sitzt, allein im Dunkeln, und
die anderen, die Schauspieler, sind oben, im Hellen, auf
der Bühne, und dazwischen ist die Rampe, und ab und zu
muß er nach oben hechten, sich über die Rampe schwin-
gen und denen da oben etwas zeigen, etwas vorspielen,
etwas erklären, um ihnen danach doch wieder den Rük-
ken zu drehen und ins Dunkle zurückzukehren, und die
da oben machen, was sie wollen und nicht besser können.
Dann schleicht er sich aus dem dunklen Saal, dreht eine
Runde im Park vor dem Theater, bespricht sich mit den
Eichhörnchen, die verstehen ihn, und wenn er zurück-
kommt in den Theatersaal, da spielen sie oben, im Hellen,
immer weiter und haben seine Abwesenheit nicht einmal
bemerkt.

Jedenfalls geht es mit dem »Furchtsamen« immer weiter abwärts. Wahrscheinlich habe ich alles falsch einge-
schätzt. Hafner ist kein Goldoni und ich bin kein Strehler, und hier gibt es keine Theatertruppe, sondern bloß
sozialistische Theaterbeamte oder kaputte Typen. Nur
dieser Kratz entpuppt sich als ein klassischer Intrigant.

Folgerichtig wurde er auch gerade zum Chefdramaturgen befördert, und auf der Leitungsitzung, zu der ich bestellt wurde, legte er alle unsere Meinungsverschiedenheiten bloß und fiel mir bei allen meinen Ideen, die ich gerade noch gerettet hatte, in den Rücken, und das gipfelte in der strengen Ermahnung, »du mußt ja wissen, was du verantworten kannst!« Als ob es um sonstwas ginge! Und dann war viel von »theaterpolitisch« die Rede und »Realismus« und »gewachsenen Erfahrungs- und Denkweisen«, ich habe wirklich nicht verstanden, was die meinen.

Eva, das müssen wir alles überwinden.

Bernarda! Das Album! Nach Greifswald! Meine Bewerbung habe ich sofort losgeschickt!

Inzwischen glaube ich nicht mehr, daß meine Krise hier mit dem normalen Absacken in der Mitte jeder Arbeit zu tun hat.

Bei unseren Bernarda-Proben ist es doch auch anders. Weil noch alles offen ist? Weil wir das Stück selbst ausgewählt haben? Weil wir so viel darüber gesprochen und gestritten haben? Weil wir nicht von Anfang an Rollen festgelegt haben? Weil wir noch an Spontaneität und Leidenschaft glauben? Weil wir immer noch beim Kindergeburtstag sitzen? Vielleicht wachen wir tatsächlich einmal über Nacht als Großeltern auf. Aber wenigstens nicht als Theaterbeamte!

Und dann passierte noch folgendes: Ich habe den schlimmsten Theateraberglauben verletzt und hinter der Bühne gepfiffen! Weil ich mich so abwesend fühle, habe ich vor mich hin gepfiffen. Alle stürzten sich auf mich. Wahnsinnig? Verrückt? Wie konntest du? Warum hast du uns das angetan? Und dann nennen sie sich aufgeklärt.

Manchmal spaziere ich auf dem Weg, der den nicht ganz vollen Kreis um den See zieht, und will mich zwingen, darüber nachzudenken, wie ich mich verhalten sollte und müßte und wie es weitergehen könnte, aber es gelingt mir nicht einmal, mich überhaupt auf »die Probleme« zu konzentrieren, immer denke ich an ganz andere Dinge. Natürlich an Leon. Traurig, weil wir eigentlich nur noch aneinander vorbeilaufen und vorbeireden, weil er so viel vor mir verbirgt und Angst vor jeder Preisgabe hat. Ich fürchte, er ist nur ein Virtuose, kein Künstler der Liebe. Vielleicht war ja schon alles an dem Tag zu Ende, als er mich in Schöneweide in den Zug nach Prenzlau gesetzt hat, und wenn ich ehrlich bin, trauere ich schon um ihn, obwohl ich ihn noch gar nicht verloren habe.

Jetzt erwarte ich gerade Alex und Walter, auf einer Etappe ihrer Preußenreise, darauf freue ich mich schon sehr. Der liebe Alex, der liebe Walter! Vielleicht haben sie ja auch eine Eingebung, was mit dem »Furchtsamen« noch geschehen und wie ich alles noch »rumreißen« könnte.

Vor drei Tagen habe ich einen Brief von Ilana bekommen. Noch im Sommer vor einem Jahr haben wir zusammen Löcher in den kalten Strand von Riga gebuddelt, und jetzt wohnt sie schon in Jerusalem und hat einen Mann und ein Kind und ist oder scheint fest in ihrem Glauben, das Richtige zu tun. Ich beneide sie um fast alles, um Jerusalem, um den Mann, um das Kind und um den Glauben, das Richtige zu tun.

Eva, wir hängen in dieser deutschen Provinz rum, Männer und Kinder haben wir nicht, nur immer Zweifel und Fragen, lachen immer an der falschen Stelle, und alles, was wir haben, ist nur eine jüdische Nase und einen jüdischen Namen und eine Familiengeschichte, die zu Nase und Namen dazugehört, und das kommt mir so festgelegt und vage zugleich vor, so wie eine scharfe Kontur, die im Inneren leer bleibt. Vielleicht ist das eher der magische Kreis, von dem Börne spricht, man kommt nicht heraus, aber innen ist er hohl. Ilana dagegen hat einfach gesagt, jetzt gehe ich nach Israel, denn dort ist mein Platz.

Ich habe statt dessen neulich einmal einen Holzschnitt versucht, bei Michi, der das Werkzeug hat, das man dafür braucht. Erst schnitzen und schneiden und die Form aus dem Holz herausholen, Farbe drüberwalzen und die Blätter drauflegen, dann abziehen und trocknen lassen, es stinkt, es kleckert, die Hände sind schmutzig, und die Farbe geht schwer wieder ab.

Ein Probedruck und dann auf dem Blatt: ein Gesicht. Vielleicht ich.

Auflage zwei Stück. Nummer Eins liegt bei. Für Dich.

Und was versuchst Du gerade?

Ich hab Dich so lieb,

Deine Anna

Leon an Anna

Berlin, 9. Dez.

Liebe Anna!

Renate, die ich geheiratet habe, als Du, glaube ich, gerade Dein Abitur gemacht hast, hat jetzt die Scheidung eingereicht, obwohl wir ja schon jahrelang nicht mehr miteinander leben; bei unserem letzten Zusammensein, das auch schon Jahre zurückliegt, habe ich sogar noch meinen Ehering aus dem Fenster geworfen, den ich sowieso nie getragen habe, und als sie mir auch das noch vorwarf, habe ich ihn aus irgendeiner hinteren Schublade gekramt und aus dem Fenster geworfen, aus dem 12. Stock des Hochhauses an der Jannowitzbrücke. Nun hat sie mir diese Scheidungsklage geschickt, und ich habe gemerkt, daß ich mich gar nicht scheiden lassen will, aus vielen Gründen nicht, auch deshalb nicht, weil ich sie auf meine Weise noch liebe; habe also nicht in die Scheidung eingewilligt. Das müßte ich Dir natürlich gar nicht erzählen, wenn Renate jetzt nicht alles aufbieten würde, um diese Scheidung durchzukriegen. Also will sie Zeugen herbeizitieren, die beweisen sollen, daß ich schon jahrelang Beziehungen mit anderen Frauen habe, und leider gehörst auch Du dazu. Sie weiß alles über uns, was in Berlin kein besonders großes Kunststück ist, wir haben ja kein Geheimnis daraus gemacht, und sogar bei der »Flinken Jette« wissen sie's ja. Jedenfalls wirst Du, wie ich fürchte, leider eine Aufforderung zur Zeugenaussage vor dem Gericht bekommen, wo Du, leider, auch wirst erscheinen müssen, weil es, glaube ich, strafbar ist, einer solchen Aufforderung nicht nachzukommen.

Anna, ich kann Dir nicht sagen, wie leid mir das tut. Ich wäre nie auf die Idee gekommen, daß Renate so etwas tun könnte, ich habe immer gedacht, daß es eine Abmachung zwischen uns gewesen sei, diese Ehe aufrechtzuerhalten, wenn auch nur auf dem Papier, das ich, nebenbei gesagt, auch schon längst weggeworfen habe.

Vielleicht wäre es ja überhaupt das einfachste und beste, ich würde in Renates Welt zurückkehren, sie hat einen anständigen Beruf, ein regelmäßiges Gehalt mit bezahltem Urlaub und ist jeden Tag neun Stunden auf der

Arbeit. Ich könnte derweil das Haus in Ordnung halten, für die Kinder kochen und die schönen Dinge, die ich nebenbei finde, für mich behalten, statt krumme Geschäfte damit zu machen. Ich habe mich so oft gefragt, warum ich das eigentlich nicht tue, denn seit ich das Hochhaus an der Jannowitzbrücke verlassen habe, bin ich auch nicht glücklicher geworden und habe auch kein Glück um mich herum verbreitet.

Anna, Du hast manchmal gesagt, Du liebst mich. Anna, aber das glaube ich Dir nicht, daß Du mich liebst, denn das lohnt sich gar nicht, es ist ein Irrtum, wenn Du Dir das einredest.

Mit mir ist nichts los, Anna.

Sieh Dich mal um, Du hast Deinen Kreis, Deine Freunde, und es gibt auch andere Männer, die Dich lieben, Alex, Matti und der kleine Bühnenbildassi, von dem Du mir erzählt hast, und auf die ich alle in einer ganz vagen Art eifersüchtig bin. Nicht weil ich denke, daß sie mir etwas wegnehmen würden, sondern nur, weil sie wahrscheinlich weniger miserabel sind als ich. Und natürlich werden Dich noch ganz andere Männer lieben, die Dich jetzt noch gar nicht kennen, und Du wirst sie auch lieben, diese Männer, die Du jetzt noch nicht kennst, die schon irgendwo herumlaufen, in Deiner Straße oder in einem anderen Land, oder sie spielen noch im Kindergarten und Du wirst sie in Deiner dritten Ehe verführen, und Dein Mann wird das sehr erregend finden, wenn Du ihn mit jungen Männern betrügst, die Dein Sohn sein könnten.

Du siehst, wie weit es mit meinem guten Geschmack her ist.

Weißt Du, Anna, ja, ich gleiche tatsächlich dem Doryphoros von Polyklet, ich bin nämlich genauso versteinert und genauso tot seit einer Ewigkeit, und wie der Dornenauszieher muß ich mich ununterbrochen mit meinem Fuß beschäftigen und der Wunde, aus der das Gift rinnt, von dem ich offensichtlich zuwenig geschluckt habe, wie ich oft bedauere.

Ich hatte mal eine Freundin, die war Ärztin auf der Geburtenstation, und sie hat mir erzählt, wie sie es dort machen, wenn eine Mißgeburt auf die Welt kommt. Sie halten das Baby kurz mit dem Kopf unter Wasser, in einem Eimer, der dort immer für diesen Zweck steht, dann erstickt es schnell und sie deklarieren diese Mißgeburt einfach als Totgeburt. Ich wünsche mir oft, sie hätten meinen Kopf auch lieber kurz in den Wassereimer getaucht bei meiner Geburt.

Anna, Du mußt jetzt noch diese Zeugenaussage hinter Dich bringen, und vermittle mir bitte noch den Kontakt zu Walter – ich muß dringend das Buch verkaufen –, und dann Anna, weißt Du was, dann dreh Dich um, zum Leben und weg von mir. Von mir kommt bloß der Tod in der Form der Kleinkariertheit. Es gibt an mir nichts Griechisches oder Romantisches, ich bin auch nicht besser als mein mongoloider Bruder, auch mein Horizont ist nur von den geviertelten Tomaten und geachtelten Äpfeln begrenzt, die mir meine Mutter hinstellt, und ab und zu von einer Frau, die mich aushält, um die Dinge einmal bei ihrem Namen zu nennen. Ich bin nichts als das Nichts, und der Schauer, der davon ausgeht, den hast Du mit Liebe verwechselt. Das ist kein geschickter Rückzug, Anna, ich bin wirklich verzweifelt, ich weiß nicht, ob Du mir das glauben kannst. Vielleicht hat mich die Scheidungsklage in dieses Tief hineingestoßen, weil ich die

Ehe mit Renate als letzte Fassade hin zu einem »normalen« Leben angesehen hatte. Aber vielleicht ist es auch etwas ganz anderes, einfach die Sehnsucht nach dem Wassereimer, der mir bei meiner Geburt leider erspart worden ist, es wäre doch so einfach gewesen, ein paar ausgefallene Atemzüge. Seit ich denken kann, fühle ich mich überflüssig und einsam, und das Schlimmste kommt ja bekanntlich noch, je weiter das Leben voranschreitet.

Anna, als Du neulich, als es zum ersten Mal kalt war und ich zum ersten Mal geheizt habe, vor dem Ofen gekauert und geweint hast, ich weiß nicht einmal mehr, warum, da war es, als ob ein Schiff untergeht, und ich habe gemerkt, Anna, Du bist überhaupt nicht klein, Du bist nämlich groß und stark, gerade wenn Du so weinst, als ob ein Schiff untergeht. Ich habe schon seit vielen Jahren nicht mehr geweint, obwohl ich mir das oft gewünscht habe. Nicht Du bist klein, Anna, ich bin es. Selbst wenn ich Dir alles hingeben wollte – ich hab ja gar nichts.

Wie ich kann, liebe ich Dich doch. Aber ich kann einfach nicht mehr.

Wie immer

Dein Leon

Anna an Katja

Prenzlau, den 9. 12. 75

Liebe Katja!

Bitte entschuldige, daß ich Dir erst jetzt auf Deinen lieben Brief antworte, über den ich mich sehr gefreut habe. Das muß ja ein toller Abend in der Kongreßhalle gewesen sein! Ich hoffe bloß, daß eure Auftritte mit dem Chor nicht immer so anstrengend und aufregend sind.

Meine Arbeit hier in Prenzlau geht ihrem Ende entgegen, ich werde also bald wieder in der Arthur-Becker-Straße zurück sein, und wir können dann auch wieder einmal zusammen zeichnen, so wie im vorigen Jahr, wenn Du dazu Lust hast. Du brauchst auch nicht immer »Frau Herzfeld« und »Sie« sagen. Ich komme mir ja sonst wie Deine Oma vor. Wenn Du möchtest, kann ich Dich in den Weihnachtsferien mit zu einer Theateraufführung nehmen, die meine Freunde und ich einstudiert haben. Es ist allerdings ein trauriges Stück, und es geht auch nicht gut aus. Aber Du bist ja kein Kind mehr, sondern nun gerade vierzehn geworden, ich gratuliere Dir noch nachträglich zu diesem wichtigen Geburtstag.

Mit dem Schlittschuhlaufen und der Kälte kann es auch noch im Februar was werden!

Lieben Gruß von Deiner Nachbarin

Anna

Anna an Leon

Prenzlau, 11.12.

Leon, weißt Du, was ich mit Deinem Brief gemacht habe?

Ich habe ihn zerknüllt und in den Papierkorb geworfen. Aber das reichte nicht, ich habe ihn wieder rausgeholt und geglättet, um ihn leichter zerreißen zu können, und dann in viele Fetzen zerrissen. Aber das reichte immer noch nicht, ich habe die Fetzen aus dem Papierkorb wieder rausgeholt und in den Mülleimer geworfen und dann den ganzen nächsten Tag meinen Abfall darauf gekippt, Apfelsinenschalen und Apfelgriepsche, Joghurtbecher, das altgewordene Brot mit Schimmelflecken und die Asche meiner Zigaretten, und zuletzt habe ich alles unten in den großen Müllkübel der Kneipe ausgeleert und voller Lust zugesehen, wie sie immer weiter Abfälle auf die Papierfetzen mit Deinen Worten gekippt haben, mit denen Du mich verletzt hast und die mir widerwärtig sind.

Leon, gerade haben sie mich ans Telefon geholt, Du hast gesagt, ich soll den Brief zerreißen, das hatte sich also schon erledigt, und Du würdest gerne mit mir in Ruhe über alles reden, wenn ich nach Berlin komme.

Wenn ich das nächste Mal in Berlin bin, werde ich zu Dir kommen, aber nicht um »in Ruhe über alles zu reden«, ich weiß noch nicht, was ich da tun werde, aber »in Ruhe über alles reden« werde ich ganz bestimmt nicht. Wozu denn das noch, Vorwürfe, Forderungen. »Du bist nicht der, für den ich Dich hielt!« Ich bin Dir wie eine dumme Liese hinterhergelaufen und habe nicht bemerkt, daß Du ein mir ganz entferntes Leben führst, Dich selbst bemitleidest und herumlamentierst, und daß es mit uns beiden gar nicht gehen kann.

Eine wirklich letzte Bitte: Ich möchte auf keinen Fall, und zwar auf gar keinen Fall, daß Walter in die Heym-Sache verwickelt wird, bitte halte ihn da raus, ob Du das nun verstehst oder nicht. Er gehört zu dem Wiener Freundeskreis meiner Mutter, der so etwas ähnliches wie ihre Familie ist, meine Mutter hängt von diesen Bindungen und Beziehungen in jeder Weise ab, und es darf deshalb keine Störungen geben. Man kann und ich möchte nicht alles mit allem vermischen und etwas riskieren, wofür ich nicht selbst die Folgen tragen kann.

Gruß
        Anna

Eva an Anna

Meiningen, den 9. 12. 75

Meine liebe Anna!

Im Zug nach Meiningen ist mir gestern was Komisches passiert. Ich bin eingeschlafen und plötzlich fiel mir, genau wie Newton, ein Apfel auf den Kopf. Aber leider hatte ich, im Gegensatz zu Newton, überhaupt keine Erkenntnis oder Erleuchtung, obwohl ich mir den Apfel von allen Seiten gründlich angesehen und mich umgesehen habe, ob er vielleicht jemandem gehörte, er schien jedoch ganz herrenlos, und so habe ich ihn einfach aufgegessen, was sicher ein Fehler war, doch auch ich konnte nicht widerstehen.

Es kommt mir immer absurder vor, mich täglich irgendwohin zu schleppen, wo nichts etwas mit mir zu tun hat, mir dumme Kostüme überzustreifen und mich Hexe nennen zu lassen. Wir proben immer noch »Held der westlichen Welt«, es soll sogar fürs Fernsehen aufgenommen werden. Meine Rolle ist eigentlich ganz schön, aber ständig muß ich gegen die Klischees ankämpfen, derb, deftig, Cowboy-Stiefel-Exotin, wie sie es von mir wollen. Ich aber denke, es ist eine einsame Frau, die noch was vom Leben haben will, wie wir alle. Wenigstens konnte ich durchsetzen, daß ich keine Perücke aufsetzen muß, und auch Teile des Kostüms habe ich mir selbst herausgesucht, so tief muß ich meine Erfolgserlebnisse ansetzen.

Das Wetter ist jetzt kalt und schön, ich laufe manchmal ein Stück und lese Kastanien auf oder gehe über den alten jüdischen Friedhof, der immer frisch geharkt ist, aber noch nie habe ich jemanden dort getroffen.

Ja, Anna, es stimmt, auch ich kann Ilana nur beneiden, auch ich sehne mich manchmal nach einer radikalen Änderung, einem scharfen Schnitt der Trennung zwischen uns und den anderen, die ja sowieso da ist, wie ich Dir neulich gesagt habe. Aber trotzdem bleibt es wahr, daß die Zerstreuung unser Schicksal ist, auch wenn das pathetisch klingt, und unser Leben an diesem Ort, in dieser Zeit und mit diesen Menschen stattfindet, die wir so unverständlich finden und die uns unverständlich finden. Genau darin müssen wir eine Festigkeit erringen, die nicht zur Starre werden darf, und weil das so schwierig ist, sehnt man sich dann nach Rückzug, manchmal überhaupt aus der Welt; weil einem das alles zuviel ist, zu schwer, zu anstrengend, zu enttäuschend, die Verhältnisse mit den Menschen und mit den Männern sowieso. Dann fängst Du an von einem klösterlichen Leben zu phantasieren oder von Israel. Anna, bitte! Übrigens müssen sich die Gojim auch im Zusammenleben mit uns bewähren, das ist ihnen aber nur selten gelungen, und daher sind wir stolz und hochmütig geworden, jedenfalls ich bin es, und jedesmal, wenn sie wieder Hexe zu mir sagen, werde ich noch ein bißchen stolzer und hochmütiger, und genau darin, nur darin, erkenne ich mich im Staat Israel wieder, wie sie alle auf ihm herumhacken und ihn gerne wieder von der Landkarte weghaben wollen. Und allein, um die widerlichen Schweine zu ärgern, die damals in der Wohnung meiner Mutter gesessen und behauptet haben, die Wohnung gehöre ihnen, bin ich noch stolzer und noch hochmütiger. Hier hat es natürlich auch diese Betriebsversammlung mit Politinformationen gegeben, über den UNO-Quatsch von Zionismus gleich Rassismus. Ich bin gar nicht erst hingegangen.

Was die kleine Welt und mein Herz anbelangt, wird die Liste meiner Dummheiten immer länger.

Ich habe Dir doch von dem Mann erzählt, der mir einmal ein Briefchen geschrieben hat, und obwohl ich ihn bloß ein einziges Mal gesehen hatte, habe ich mir gleich das Herz ausgerenkt, doch er machte sich rar, und ich habe mich immer weiter verrenkt. Übrigens, wäre es nicht natürlicher, es wäre umgekehrt? Dann hat er mir wieder ein Briefchen geschrieben, weil er plötzlich wegfahren mußte, wie er sagte, und von unterwegs hat er mich sogar im Theater angerufen, selten, zwei-, dreimal, in großen Abständen, er hat mich also viel warten lassen, so daß ich genug Gelegenheit hatte, mir seine Liebe herbeizuphantasieren und mich der Idee hinzugeben, die ich wohl nie los werde, daß alles auch einmal ganz anders sein könnte, ein befreiendes und beruhigendes Gefühl zugleich, das aus der Berührung der Worte mit dem Körper kommt. Nicht immer diese schrecklichen Zustände: Aufschwung und Stolz am Morgen, Unterwürfigkeit am Mittag, Beben und Zittern am Abend und dann nachts dieser große Schwindel, wo du überhaupt nicht mehr weißt, wo oben und unten ist. Die Zeit ist vergangen, ohne Befreiung und Beruhigung, ohne daß ich ihn wiedergesehen habe, und wenn ichs recht bedachte, hatte ich eigentlich sehr lange überhaupt nichts mehr von ihm gehört.

Da gehe ich also vorgestern auf der Straße, wie immer Kopf gesenkt, Blick auf meine Füße, Gedanken ich weiß nicht wo, und remple folgerichtig jemanden an, renne geradezu in einen Mann hinein, murmele ohne aufzublikken, oh Verzeihung, Entschuldigung, und will weiterlaufen, da hält mich der Mann fest, sagt, he, hallo, Eva! Ich starre ihn an, sehe ihm gerade ins Gesicht, aber ich kenne den Mann nicht, da sagt er wieder, he, hallo, Eva, ich bin's! Er war es, der Mann, in den ich so verliebt war, über den ich so viel phantasiert hatte, bis ich ihn nicht einmal mehr auf der Straße erkannt habe! Dann sagte er, wollen wir nicht einen Kaffee trinken gehen, und führte mich ausgerechnet in die Eisdiele, die Alex und ich immer »Nahkampfdiele« nennen, weil sie eine derartige Mitropa-weltniveauatmosphäre hat, und an deren Tür monatelang stand »Wegen Neueröffnung geschlossen«. In der »Nah-kampfdiele« habe ich mir diesen Mann, der mir vor Wo-chen das kleine Briefchen geschrieben und in dessen Worte ich mich so verliebt hatte, also zum ersten Mal rich-tig angesehen. Und siehe, er war doof. Wir unterhielten uns, ich langweilte mich, dann sagte er etwas, worüber ich mich innerlich aufregte, wie man so was Dummes nur denken und sagen kann! und was ich inzwischen schon längst wieder vergessen habe. Meine kleine Liebe, die sich in der Phantasie so unendlich vergrößert hatte, und die Sehnsucht nach der Berührung der Worte mit dem Körper sind in der »Nahkampfdiele« gleich nach der ersten Runde k. o. gegangen. Dann hat er mich mit seinem Auto nach Hause gebracht und wir haben uns mit »bis bald« verab-schiedet. Gedacht habe ich, kannst lange warten!

Oben in der Wohnung hat der liebe Klaus gerade Essen gekocht, weil er ja so häuslich ist und deshalb gerne abends warm ißt. Wie ich ihn da so mit den Gesten einge-wurzelter Gewohnheit herumwirtschaften sah, packte mich die Wut, und ich kriegte einen meiner berüchtig-ten Wutanfälle, die ich von meiner Mutter geerbt habe, schleuderte ihm alle möglichen Grobheiten an den Kopf, wie lächerlich ich ihn und dieses Ehepaar-Spielen fände, und er sei auch bloß so ein Provinzler, den ich verlassen werde, wenn ich diese Provinz verlasse, was hoffentlich

bald der Fall sein wird. Er hat überhaupt nicht geantwortet, sondern bloß die Flamme unter den beiden Koch-
töpfen abgedreht und dann seine Sachen, die bei mir
rumliegen, gepackt, und als er auch die Bach-Flöte-Cembalo-Platte in eine Plastiktüte packte, wurde es mir auf
einmal ganz anders zumute, es tat mir leid, hab zu heulen
angefangen und gesagt, Klaus, ich bin so einsam, aber er
hat bloß geantwortet, wir sind alle einsam, und ist gegangen, ohne »bis bald« oder etwas anderes zu sagen, nur die
Flamme vom Backrohr hatte er vergessen abzudrehen,
zwei Stunden später erst habe ich das bemerkt, denn da
fing es an, zum Himmel zu stinken.

Weißt Du noch, wie wir in der Schule, bei den Wo-
chenendfahrten in der Jugendherberge, die Jungs einzeln
zu uns in unser Zimmer bestellt haben, wo sie sich dann
eine Strophe Poesie anhören mußten und uns danach
küssen durften? Die Poesie begriffen sie nicht und küssen konnten sie auch nicht. Anna, seit ich drei Jahre alt
bin, bringe ich Jungs küssen und Poesie bei. Könnten die
mir nicht auch mal was beibringen?

Das mit Greifswald muß unbedingt klappen. Wir müssen es schaffen, uns nächste Spielzeit dort gemeinsam
engagieren zu lassen, mit Bosch und den anderen. Das
Album müssen wir jetzt ganz sys-te-ma-tisch betreiben.
Das wird wahr werden.

Weißt Du, Anna, ich möchte jetzt versuchen, ein
Theaterstück zu schreiben, ein Märchen, aber nicht »Die
Schneekönigin«. Ich schreibe Dir die ganze Geschichte
auf, sie ist natürlich noch nicht fertiggeschrieben, aber da
siehst Du, woran ich denke und arbeite.

In Liebe,
    Eva

Eva Gelb
DIE ZWEI BRÜDER

Die beiden Zwillingsbrüder hatten etwas besonderes an
sich, das jeder sofort sah. Ihre Haut glänzte wie Gold.
Der eine der beiden Brüder schämte sich dafür, der andere dagegen tat, als ob da gar nichts besonderes wäre. Na
und, sagte er, und war abenteuerlustig und wollte in die
Welt hinaus, alles sehen und erleben, was es noch zu sehen und zu erleben gäbe, selbst wenn es gefährlich wäre,
das täte ihm nichts. Der andere Bruder war ängstlich, er
fürchtete sich oft und wußte nicht einmal genau, wovor.
Die Zwillingsbrüder lebten allein mit ihrem Vater, ihre
Mutter war gestorben, als sie noch Kinder gewesen waren, jetzt waren sie junge Männer.

Eines Tages beschlossen die beiden Brüder, in die Welt
hinauszuziehen, und unterwegs war es wie immer, alle
sahen ihnen nach, stellten dumme Fragen und machten
blöde Bemerkungen, wegen ihrer goldenen Haut. Der
eine der beiden Brüder schämte sich, er konnte es nicht
mehr ertragen, daß man mit den Fingern auf sie zeigte, er
wollte sich nicht länger verspotten lassen und lieber nach
Hause zurückkehren. Für diesen Wunsch und seine Angst
schämte er sich allerdings vor seinem Bruder, denn der
sagte wieder nur, na und! Es drängte ihn ja gerade in die
Ferne und Fremde, je weiter, je lieber, nur nicht wieder
nach Hause zurück.

Sie trennten sich. Der Ängstliche drehte sich um und
kehrte wieder heim, und der andere zog los, in die er-
sehnte Ferne und Fremde. Also machs gut, Bruderherz,
sagten sie zueinander zum Abschied. Der nach Hause
zurückkehrte, fühlte sich bedrückt, und der loszog, war

bester Laune. Er kam aber nicht sehr weit. Bald geriet er in einen Wald, der am Anfang ganz harmlos erschien, ein netter, grüner Wald eben. Doch ziemlich schnell verwandelte sich der nette grüne Wald in eine gefährliche Gegend, dunkel, dicht und undurchdringlich, und es wurde ihm klar, das mußte der Wald sein, vor dem man sie schon gewarnt hatte. Aber es gab jetzt sowieso kein Zurück mehr, und er sagte sich: »Ich soll und muß hindurch!« Als ob ihm diese Worte tatsächlich Kraft gegeben hätten, kam er ziemlich gut voran durch Dickicht und Gestrüpp. Aber dann stürzte er, fiel hin und bald wurde er angefallen. Zuerst war ihm nicht einmal klar, ob das Menschen oder Tiere waren, die ihn immer wieder umwarfen, wenn er sich nur ein kleines bißchen wieder aufrichtete, bis er die Schatten und Stimmen von Menschen erkannte und hörte, wie sie sich gegenseitig anfeuerten, ihn totzuschlagen. Schließlich aber wurden die Menschen von Tieren vertrieben, vor denen die Menschen offenbar große Angst hatten, und später wurden die Tiere von schrecklichem Gewitter und Sturm vertrieben, vor denen Menschen und Tiere flohen.

Er hatte mit Menschen und mit Tieren kämpfen müssen und war schon halbtot, als ihn das Unwetter rettete. Vor Schwäche blieb er im Wald liegen, mitten im strömenden Regen, bis er in einer tiefen Pfütze schwamm, und während es donnerte und blitzte, beruhigte er sich langsam. Er erhob sich mühsam, wie es gerade so ging, und dachte, daß er nun schon ein ganzes Stück vorangekommen war, die Welt und die Menschen kennenzulernen. Völlig durchnäßt lief oder vielmehr, stolperte er weiter. Er hatte eine wahnsinnige Wut auf die Menschen. Was wollten sie eigentlich von ihm? Warum konnten sie ihn nicht in

Ruhe lassen? Was hatten sie gegen ihn? Sie kannten ihn doch gar nicht.

Er fand aus dem furchtbaren Wald heraus, lief weiter, einfach weiter, ohne eine Ahnung, wohin. Endlich sah er von weitem einen Menschen – einen Menschen und nicht bloß einen Schatten. Ein Mädchen. Als er ihm winkte, blieb es stehen, er winkte wieder, daß es ihm entgegenkomme, aber das Mädchen rührte sich nicht vom Fleck, lief aber auch nicht weg. So ging er auf sie zu, und ehe er noch bei ihr angekommen war, fragte sie ihn schon, wer sind Sie, wo kommen Sie denn her? Da konnte er nicht mehr an sich halten und ließ seine Wut an diesem Mädchen aus, beschimpfte sie und brüllte herum, bis sie zu weinen anfing. Als er sie weinen sah, wurde er etwas sanfter und sagte: Aber es ist doch wahr, kannst du nichts anderes fragen? Warum fragst du mich nicht, wie du mir helfen kannst, du siehst doch, wie ich aussehe. Oder siehst du nicht, daß ich völlig am Boden zerstört und kaputt bin? Das sah sie und sagte, gut, komm mit, und führte ihn in ihr Haus. Dort fiel er ins Bett und schlief sofort ein, und währenddessen ging das Mädchen einkaufen und kochte ein Essen. Spinat, Kartoffelbrei und Spiegelei, vegetarisch. Als sie zusammen aßen, dachte er bei sich, sie ist doch freundlich. Eine Tochter wahrscheinlich freundlicher Eltern. Er fragte sie nach ihren Eltern. Über diese Frage lachte sie nur. Ihre Mutter sei tot und ihr Vater nicht da.

»Was heißt, nicht da?«

»Er fährt die ganze Zeit in der Welt herum, nur hier ist er nicht. Nie.«

»Dann lebst du ganz allein?«

»Ja, ganz allein.«

»Das ist eigentlich traurig«, sagte der Bruder.

»Ja, das ist eigentlich traurig«, sagte das Mädchen.

Der andere Bruder lebte inzwischen wieder zu Hause beim Vater. Der war vor allem wegen der Leute und wegen der Fragen der Leute ärgerlich; erst waren die beiden Brüder so großartig aus dem Haus gezogen, und dann kehrte der eine schon nach zwei Tagen wieder zurück. Und was hatte er erlebt? Was hatte er zu erzählen? Nichts!

Vater und Sohn gingen wieder ihrer Arbeit nach, so wie immer, so wie früher, und sprachen nicht viel miteinander. Der Heimgekehrte dachte an die Szenen, die er unterwegs erlebt hatte, wie die Leute auf sie gezeigt und über sie gelacht und nicht aufgehört hatten, Fragen zu stellen und Bemerkungen zu machen, die ihn kränkten. Er konnte nichts davon vergessen. Manchmal drängte es ihn, seinem Vater Fragen zu stellen, warum sie diese goldene Haut hätten, woher das käme. Doch er spürte, daß der Vater über dieses Thema nicht gerne sprach und es ihm lieber war, wenn es ging, wie es ging, und nicht viel Fragen gestellt wurden.

So lebten sie mit ziemlich kaltem Herzen nebeneinander her.

Aber der ängstliche Bruder überwand sich und fragte und zog den Vater langsam in ein Gespräch. Über ihre Mutter, von der er so wenig wußte, und über die Zeiten, die schon lange vergangen waren. Manchmal saßen sie jetzt abends noch lange zusammen, weil dem Vater, während er so erzählte, plötzlich das eine und das andere wieder einfiel, bis er sich geradezu in langen Erzählungen verlor, eine Erinnerung zog die nächste nach sich. So erfuhr der ängstliche Bruder allmählich von Begebnissen und Erlebnissen, von denen er noch nie etwas gehört hatte, und wie es gekommen war, daß sie diese goldene Haut hatten. Das war eine lange, lange Geschichte, über die er viel nachzudenken hatte. Wenn ich mit meinem Bruder darüber reden könnte, dachte er oft, aber der Bruder war weit weg, er wußte nicht einmal, wo, und hatte seit langem keine Nachricht mehr von ihm. Da setzte er sich hin und schrieb dem Bruder Briefe und erzählte ihm auf vielen Seiten die ganze Geschichte, in der sich immer mehr Rätsel und Fragen auftaten, je mehr er davon erfuhr, und diese Fragen und Rätsel schrieb er natürlich auch auf. Da er die Briefe nicht abschicken konnte, legte er die Blätter eines über das andere, bald waren es so viele Seiten wie ein Buch.

Der andere Bruder aber war bei dem Mädchen geblieben. Sie heirateten bald und fragten niemanden um Erlaubnis oder nach seiner Meinung dazu. Eines Tages aber tauchte der Vater des Mädchens wieder auf, von dem es schon eine Ewigkeit nichts mehr gehört hatte. Er fühlte sich übergangen und machte seiner Tochter Vorwürfe, daß sie einfach einen Mann geheiratet hatte, den überhaupt niemand und auch sie selber kaum kannte. Das Mädchen entgegnete, sie kenne ja auch ihren Vater kaum, diesen Mann aber habe sie lieb und wollte mit ihm zusammenleben, ob es dem Vater nun passe oder nicht. Das konnte oder wollte der Vater nicht begreifen, er benahm sich unhöflich und unverschämt zu dem Mann, der jetzt sein Schwiegersohn war, bis die beiden genug hatten. Sie packten ihre Sachen zusammen und verließen das Haus. Wohin? In den nächsten Ort. Von dort weiter in den nächsten und dann in den übernächsten. Ein paar Tage, und wieder weiter. Nirgends wollte der andere Bruder bleiben. Aber er machte sich Gedanken, daß es seiner Frau bald zuviel werden könnte.

»Vielleicht bist du enttäuscht, jeden Tag im Gasthaus zu essen, im Hotel zu schlafen?«

»Nein, enttäuscht nicht.«

»Immer schlechtes Essen, immer dünner Tee?«

»Nein, es ist gut, wenn wir zusammen sind. Alles andere ist nicht so wichtig.«

»Möchtest du nicht zurück?«

»Nein, zurück möchte ich nicht. Ich würde gern deine Familie kennenlernen. Deinen Vater. Deinen Bruder.«

»Später. Wenn wir selbst Kinder haben, fahren wir zurück.«

»Hat dein Bruder auch so goldene Haut wie du?«

»Er sieht genauso aus wie ich, er ist mein Zwilling.«

»Woher kommt das mit eurer goldenen Haut?«

»Das weiß ich nicht. Ist es nicht egal?«

»Natürlich ist es egal.«

Er mochte diese Fragen nicht und sagte ihr, daß sie ihn so lieben solle, wie er eben war, auch wenn sie unterschiedliche Haut hätten, schließlich seien doch alle Menschen gleich, oder etwa nicht?

Sie wurde traurig, denn er schrie, als er das sagte, und sie fragte, warum schreist du mich so an? Er antwortete, ich schreie, weil ich mich aufrege. Und dann wurden sie doch böse aufeinander.

Sie dachte bei sich, mein Gott, er ist so überempfindlich, und er dachte bei sich, sie wird mich nie verstehen.

Er verließ das Mädchen. Ich soll und muß fort, sagte er, wie er es immer gesagt hatte.

Und sie hörte nie wieder etwas von ihm.

Der andere Bruder, zu Hause, hatte inzwischen viel geschrieben, gefragt, geforscht und dachte, daß es jetzt vielleicht an der Zeit wäre, einen zweiten Versuch zu machen, in die Welt hinauszugehen. Zwar fürchtete er die Welt und die Zukunft noch immer, und doch sehnte er sie herbei.

So ging er fort von zu Hause und seinem Vater, irgend etwas zog ihn in eine bestimmte Richtung, vielleicht der Schatten seines Bruders.

Und dann kam es, wie es kommen mußte.

Er traf auf das Mädchen, das sein Bruder verlassen hatte. Sie hielt ihn für den anderen. Sie machte ihm Vorwürfe:

»Ich habe so lange auf dich gewartet und habe schon geglaubt, daß ich dich ganz verloren hätte. Dabei hatte doch alles gerade erst angefangen, wir waren erst so kurz verheiratet.«

»Wie lange waren wir denn verheiratet?« fragte er.

Das Mädchen schüttelte bloß mit dem Kopf. »Ich habe mich so oft gefragt, was du alles vor mir verbirgst. Aber ich bin froh, daß du wieder da bist.«

Zunächst versuchte er, ihr zu erklären, daß er nicht der sei, für den sie ihn hielt, sondern der andere Bruder. Aber das konnte er ihr nicht beweisen, weil man ja nie etwas beweisen kann, und sie glaubte es nicht. Er gewann sie lieb und dachte, gut, solange mein Bruder nicht wiederkehrt, behalte ich sie und werde ihr Mann sein. Wenn er wieder auftaucht, werden wir weitersehen. Er kehrte mit ihr in das Haus seines Vaters zurück, und da lebten sie verhältnismäßig glücklich miteinander.

Der Vater aber war in seiner Abwesenheit gestorben und hatte alles, was der ängstliche Bruder aufgeschrieben hatte, alle die vielen Seiten, so viele wie ein Buch, verbrannt. In dem Testament, das er hinterlassen hatte, stand: »Nichts aufschreiben!« Wahrscheinlich hat er recht, dachte der zurückgekehrte Bruder, die Schrift sperrt die Geschichte nur ein.

Der andere Bruder war in eine ganz andere Richtung weitergezogen. Manchmal ging es ihm gut und manchmal schlecht. Manchmal ging es ihm sogar sehr gut und alle schienen ihn zu lieben, aber manchmal ging es ihm sehr schlecht und alle haßten ihn, und das konnte ihm nicht nur so scheinen, die Leute bewiesen ihm unmißverständlich, wie sehr sie ihn haßten. Dann mußte er sehen, wie er sich irgendwoanders hinretten konnte. Im Laufe der Zeit gewöhnte er sich daran und fand immer wieder einen Ort, wo er für einige Zeit halbwegs in Frieden leben konnte. Mit sich selbst aber lebte er schon lange nicht mehr in Frieden. Die Frau, mit der er einmal verheiratet gewesen war, hatte er vergessen, oder vielmehr vermischte sich die Erinnerung an sie mit der an all die anderen Frauen, mit denen er seitdem gelebt hatte und die ihn ebenfalls alle enttäuschten.

Er zog immer weiter, ich soll und muß hindurch, sagte er sich, und kehrte nie wieder an einen Ort zurück, an dem er schon einmal gewesen war.

Sein Bruder jedoch lebte weiter mit dem Mädchen, das inzwischen die Mutter seiner Kinder war. Er hat ihr nie die Wahrheit offenbart, und sie hat nie mehr danach gefragt.

Heinrich an die Akteure, Mitarbeiter und Freunde der Inszenierung »Bernarda Albas Haus«

9. 12. 75

Liebe Freunde!

Würdet Ihr mal bitte in Eure Kleiderschränke gucken, sie hinblickend unserer Bernarda-Aufführung plündern und den ganzen Plunder dann am nächsten Sonntag zwischen 10 und 13 Uhr in meiner Wohnung abgeben.

Folgende Tagesordnung:

13–15 Uhr: Zerordnen, Verhäufen, Entfügen und Benadeln der Collection

Ab 15 Uhr: Anberobung und Kostümbildung mit gemütlicher Kaffeepause

Ab 20 Uhr: Defilee

Ab 23 Uhr: das Übliche.

Bitte kommt meiner Aufforderung massenweise nach. Die Zeit drängt!

Euer Heinrich

Leon an Anna

18 Uhr

Liebe Anna, da ich nicht weiß, was mich erwartet, wenn Du es so strikt ablehnst, in Ruhe mit mir zu reden, ziehe ich es vor, nicht zu Hause zu sein, falls Du heute kommst. Dein Brief hat mich wenig gefreut. Ich wüßte übrigens auch nicht, warum Du eine »wirklich letzte Bitte« auszusprechen hättest.

Du möchtest nicht, daß Walter in den Handel mit der Heym-Handschrift hineingezogen wird. Was heißt das? Was hat er nicht schon alles für Alex und den Rest Deiner Truppe hin- und hergeschmuggelt, Du hast es mir selbst erzählt. Warum also nicht für mich? Über Alan und Crille ist es schwierig, die haben auch Angst.

Ich werde Dir jetzt noch etwas sagen, was Dir nicht gefallen wird, auch auf die Gefahr hin, daß Du es ganz falsch verstehst.

Dein ganzer Freundeskreis, Eva und Alex allen voran, gehen mir nämlich auf die Nerven, Dein »jüdischer Kreis«, Deine Theatertruppe und das Philosophenkleeblatt aus dem »Espresso«, die drei bescheuerten Peter mit Stefan. Ihr fühlt euch als irgendeine Art Elite, und ich habe bis heute nicht verstanden, woraufhin eigentlich. Werke habt ihr nicht vorzuweisen, und besondere Tapferkeit in irgendeiner Sache habt ihr auch nicht bewiesen. In Deinem »jüdischen Kreis« stellt ihr euer Jüdischsein heraus und kokettiert damit. Ihr seid aber bloß eingebildete Juden, denn ihr seid deutsch bis auf die Knochen, gerade darin, daß ihr euch so gerne als Anwohner von Jerusalem seht. Eure Eltern sind Bonzen und Funktionäre, die dieses Scheißland zu verantworten haben, in dem ihr euch so unglücklich fühlt.

Auch meine Mutter hat sich in der Nazizeit verstecken müssen, wegen ihres mongoloiden Sohns, der mein Bruder ist und der Dich in Verlegenheit bringt, weil er sabbert und bloß »Tach« sagt und dann weitersabbert. Meine Mutter konnte aber nicht nach England oder Amerika auswandern, weil sie sich da nämlich auch nicht für mongoloide Kinder interessiert haben.

Ich weiß, daß Du jetzt noch beleidigter bist, als Du es sowieso schon bist. Wenn Du es in meiner Wohnung nicht aushältst, weil Du nicht in mein Mobiliar zu passen glaubst, und auch das ist die reine Koketterie, und außerdem meinst, Du würdest zuviel auf mich warten müssen, dann geh bitte. Laß die Schlüssel hier oder nimm sie mit.

Du brauchst nicht auf mich zu warten.

Deiner Maßlosigkeit habe ich nichts entgegenzusetzen. Ich habe Dich um nichts gebeten, Anna.

Draußen ist Orkan. Das freut mich. Kleiner Weltuntergang. Hoffentlich überlebt es mein Birnbaum.

Leon

Anna an Leon

ca. 21 Uhr

Leon, Du hast einmal gesagt, wo Liebe ist, ist auch Verrat.

Gut. Ich weiß es. Jeder weiß es. (Nur ganz dumme Provinzler wissen es vielleicht nicht.) Du hast Dir zugetraut, zwischen beidem navigieren zu können. Es ist Dir nicht gelungen. Auf Deine Unverschämtheiten antworte ich Dir gar nicht.

Das ist ein Abschiedsbrief, Leon.

Wie bei jedem Abschied denke ich, daß natürlich das Wichtigste nie gesagt worden ist. Das bleibt uns dann für irgendwann später, spätestens in dem anderen Leben, das ja angeblich noch viel länger dauern soll und in dem wir also viel Zeit haben und hoffentlich frei von Leidenschaften leben werden.

Den Schlüssel lasse ich auf dem Tisch. Die Tür knalle ich zu. Meine Bilder nehme ich mit und auch die Immortellen, die wir in der Einsiedelei gepflückt haben. Die werfe ich unten, in Deinem Hof, in die Mülltonne. Sie sollen ruhig sterben lernen.

Bitte grüße Deine Mutter und Deinen Bruder.

A.

Walter an Anna und Alex

Liebe Anna, lieber Alex!
Diesen Brief gebe ich Bobby mit, der nachher rüberfährt,
damit Ihr eine Erklärung habt, warum ich nicht zum
Rendezvous erschienen bin und mich nicht mehr melden
konnte.

Hoffentlich habt Ihr nicht zu lange gewartet und Euch
keine Sorgen gemacht. Ich habe noch dreimal, an jeweils
verschiedenen Übergängen, versucht rüberzukommen,
leider ohne Erfolg, meine Einreise war jedesmal »uner-
wünscht«, und »nach den internationalen Gepflogenhei-
ten« ohne Angabe von Gründen. Sie sind verhältnismäßig
evident, denn ich habe den Genossen vom Zoll das Buch
überlassen und nach einem längeren Verhör auch den
Namen desjenigen preisgeben müssen, von dem ich es
»gekauft« hatte. Die Genossen haben aber gar nicht richtig begriffen, worum es sich eigentlich handelt, sondern
nur ein altes Buch entdeckt, dessen Ausfuhr sie vorsichtshalber verboten haben, und wollen mir offensichtlich einen Denkzettel verpassen, vielleicht, weil ich einfach
in den letzten Jahren die Hauptstadt zu oft, zu regelmäßig und immer die falschen Leute besucht habe. Ich
hoffe, die Strafaktion nimmt weiter keine Ausmaße an.
Das hoffe ich für mich, damit ich bald wieder rüberkom-
men kann, und für Leon, dem ich es nicht habe abschlagen
können, das Buch mitzunehmen, und dem ich auch versprochen hatte, Euch davon nichts zu sagen. Von diesem
Versprechen fühle ich mich jetzt entbunden, da ich Euch
eine Erklärung schulde, warum ich gestern um 14 Uhr
nicht zum vereinbarten Treffen im »Espresso« erschienen bin.

Ich sitze jetzt also bei Bobby in der Wohnung und fahre morgen früh wieder nach Wien zurück, weil ich in Berlin im Moment nichts weiter zu tun habe. Heute abend gehe ich noch ins Schillertheater und sehe mir »Godot« in Becketts eigener Inszenierung an, darauf freue ich mich schon monatelang! Den Kleist-Abend im Deutschen Theater habe ich nun verpaßt. Hoffentlich wird er bei meinem nächsten Besuch nicht abgesetzt sein; nach dem, was Ihr mir davon erzählt habt, wird er sich wahrscheinlich nicht lange auf dem Spielplan halten. Preußen umschließt mich ja immer noch ganz fest, und es beschleicht mich der Gedanke, daß es wahrscheinlich gar keine so gute Idee war, es unbedingt durchreisen zu wollen.

»Von meiner Reise läßt sich diesmal nichts sagen. Ich bin durch Oranienburg, Templin, Prenzlau gekommen, ohne daß sich von dieser Gegend etwas Interessantes sagen ließe, als dieses, daß sie ohne alles Interesse ist. Da ist nichts als Korn auf Sand und Fichten auf Sand, die Dörfer elend, die Städte wie mit dem Besen auf ein Häufchen zusammengekehrt. Es scheint, als ob dieser ganze nördliche Strich Deutschlands von der Natur dazu bestimmt gewesen wäre, immer und ewig der Boden des Meeres zu bleiben, und daß das Meer sich gleichsam nur aus Versehen so weit zurückgezogen und so einen Erdstrich gebildet hat, der ursprünglich mehr zu einem Wohnplatz für Walfische und Heringe als zu einem Wohnplatz für Menschen bestimmt war.«

Habe ich gerade nachgelesen.

Und wenn ich noch an alle Restaurants denke, aus denen wir rausgeflogen oder gar nicht erst reingelassen worden sind, und an den Ärger in Deinem Theater, Anna.

Mein kurzer Auftritt dort hat, wie ich mir jetzt vorwerfe, wahrscheinlich auch nicht zur Entspannung der Krise beigetragen. Mein Gott, warum die immer so mißtrauisch sind, das werde ich nie verstehen! Ich bin doch bloß ein harmloser Besucher, Freund und Kollege. Ich hoffe, Du kommst jetzt in der Schlußphase besser mit der Inszenierung zurecht, und weil Du unbedingt meine Eizes hören willst, sage ich Dir noch einmal, daß Du das Stück viel mehr in Richtung Commedia-dell'Arte inszenieren solltest, es ist ja schließlich kein Drama. Von Deinem Feind, dem Chefdramaturgen, hatte ich auch den denkbar schlechtesten Eindruck. Ich glaube, vor dem mußt Du Dich in Acht nehmen.

So, das wars erstmal. Eher bad news. Aber man soll ja froh sein, wenn man g'sund ist. Bobby will jetzt los.

Spätestens dann also, weiß nicht wann und auch nicht wo!

Euer
Wiener Walter

Die Theaterleitung
an Kollegin Herzfeld

Prenzlau, den 15. 12. 1975

Sehr geehrte Kollegin Herzfeld!

Aus den Ihnen bekannten Gründen und in Einklang mit den in Ihrem Vertrag formulierten Anforderungen an eine sozialistische Leiterpersönlichkeit wurde heute nach eingehender Beratung und im Einvernehmen mit der Betriebsparteileitung bezüglich der Fortsetzung Ihrer Tätigkeit folgende kaderpolitische Maßnahme beschlossen:

Die Verantwortung für die Regiearbeit der Inszenierung »Der Furchtsame« von Philipp Hafner übernimmt ab sofort der Kollege Jörg Kratz. Sie werden ihn mit sozialistischer Kollegialität bei seiner Aufgabe unterstützen. Die bereits erarbeiteten Unterlagen haben Sie ihm auszuhändigen.

Darüber hinaus sehen wir uns auf Grund der mangelnden Qualität Ihrer künstlerischen Arbeit sowie mangelnder Fähigkeit zur Einfügung in das sozialistische Kollektiv nicht veranlaßt, auf unsere vormalige Absprache zurückzukommen und Ihren Honorarvertrag in einen festen Arbeitsvertrag zu überführen. Wir bitten Sie, Ihren anteiligen Jahresurlaub bis zum 31. Dezember des Jahres in Anspruch zu nehmen.

Mit sozialistischem Gruß

Salewski
(Intendant)

Anna an Alex

Dienstag

Mein liebster Alex,
Dein Lieschen hat kein Glück.

Sie haben mir gekündigt. Ich schmeiße jetzt alles hin und fahre morgen ab aus Prenzlau. Hoffentlich auf Nimmerwiedersehen. Soll der Kratz doch sehen, wie er das Stück bis Weihnachten noch allein fertigbringt. Sie haben mich in aller Öffentlichkeit degradiert und meiner Inszenierung enteignet. Ich kam mir richtig wie Dreyfus vor.

Ich muß mich natürlich fragen, ob das nun das Ende oder der Anfang meiner Theaterkarriere sein wird. Warte ja noch auf Antwort aus Greifswald. Nach der entscheidenden letzten »Auswertung« meiner Inszenierungsarbeit hat sich der widerwärtige Kratz tatsächlich nicht entblödet, mir mitzuteilen, »das Theater kennt nur blutige Hände oder abgehackte«, den Satz muß er wohl bei Müller aufgeschnappt haben, den er sich ansonsten nicht aufzuführen traut.

Also Stunde der Bilanz.

Ich will die Schuld gar nicht auf die Schweine vom Theater, wie Eva immer sagt, schieben, schließlich war es doch mein eigenes Versagen und meine eigene Unfähigkeit. Bei der Theaterarbeit entsteht die Form ja genau an der Reibungsfläche zwischen all den vielen Menschen, die daran beteiligt sind, und das ist es wohl, was ich nicht bewältigen kann, weil ich schon diese Reibung an sich schwer ertragen kann. Eigentlich bin ich mir die ganze Zeit wie am ersten Schultag in der neuen Klasse vorgekommen, lauter neue Gesichter, alle viel selbstbewußter, weil sie ja von hier sind und sich auskennen und Dir einen Gefallen tun, wenn sie mal mit Dir reden.

Liebster Alex, es war schön, wie ihr mich neulich hier besucht habt, Walter und Du, und unsere Versöhnung im Dom. Nein, Alex, wir waren uns doch gar nicht entfremdet, wie Du gesagt hast.

Meinen Geliebten, den »gräßlichen Leon«, bin ich übrigens auch los. Schluß gemacht. Sachen gepackt. Tür zugeknallt. Jetzt wirst Du mich also wieder leicht in meiner Wohnung antreffen können. Weißt Du, manchmal komme ich mir bloß noch wie eine komische Nummer vor, versuche krampfhaft, in meinen Händen Gegenstände, die ich zum Leben brauche oder zu brauchen meine, festzuhalten, aber es sind so viele und unförmige, ich weiß nicht, wie ich sie alle gleichzeitig festhalten kann, muß balancieren und dabei auch noch vorwärts kommen, da verliere ich sie dann einen nach dem anderen, und wenn ich mich bücke, um etwas aufzuheben, fällt gleich der ganze Rest runter. Und so bewege ich mich immer nur in einem ewigen Kreislauf zwischen Verlieren und Wiederzusammensammeln.

Gestern, am letzten Abend in der Theatermetropole, ist mir noch etwas Merkwürdiges passiert. Ich habe mich nach den dramatischen Ereignissen von den beiden einzigen Personen, mit denen ich mich hier ein bißchen verstanden habe, verabschieden wollen, von der Bühnenbildnerin und ihrem Kind, und dann von Michi, der gerade eine Vorladung zum Wehrkreiskommando bekommen hatte und halbtot vor Schreck war, weil er natürlich auf gar keinen Fall zur Armee gehen will, aber weiß, daß er dann hier nie mehr im Leben irgendeine Chance hat, wenn er den Wehrdienst verweigert, und so wir haben das neu aufgetauchte Problem noch beratschlagt, und dann war es Mitternacht, als ich mir am Bahnhof den ersten Zug, der morgen früh nach Berlin fährt, rausgesucht habe. Ich stehe also drinnen im Bahnhof und studiere den Fahrplan, als ich plötzlich draußen auf der Straße, auf der sonst nachts niemals ein Auto fährt, eine Art Erdbeben höre; stürze hinaus, da donnert ein Lastwagen mit zwei Anhängern die einsame Straße hinauf, auf den Bahnhof zu, rast mit derselben Geschwindigkeit um die Kurve vor dem Bahnhof, wo ich also gerade stehe, und genau in diesem Moment, als er an mir vorbeirast, öffnete sich die Verriegelung des zweiten Anhängers und die ganze Ladung fällt heraus, mir vor die Füße. Der Fahrer hatte es anscheinend gar nicht bemerkt, denn er donnerte weiter, und der Lastwagen verschwand wieder am Horizont, Richtung Pasewalk. Vor mir – ein riesiger Haufen Kartons, die sich natürlich alle geöffnet hatten, in den Kartons waren Schuhe, wahrscheinlich die Lieferung für alle mecklenburgischen Schuhgeschäfte, lauter nagelneue Schuhe, die lagen da vor mir in einem wilden Durcheinander. Ich suchte mir so viele Paare zusammen, wie ich nur tragen konnte, für mich, für Dich, für Eva und alle anderen Freunde, mit Schuhen haben wir jetzt erst einmal ausgesorgt, und den Rest nehme ich nach Moskau mit.

Wieder rein in den Bahnhof, zum Fahrplan. Und plötzlich steht Lutz vor mir. Lutz – den ich in den ganzen zwei Monaten fast nie zu Gesicht bekommen habe, der mir nicht geholfen und mich nicht unterstützt hat. Steht da mit einer roten Rose in der Hand und sagt, er habe mich schon überall gesucht. Drückt mir die Rose in die Hand. Ich solle mich nicht entmutigen lassen. Dreht sich um und verschwindet wieder am Horizont, hinter der Kurve Richtung Pasewalk, wie der Lastwagen fünf Minuten vorher.

So seltsame Dinge geschehen um Mitternacht in Prenzlau, wenn ich es gerade verlassen will.

Laut Fahrplan fährt der erste Zug um 6 Uhr 01. Jetzt ist es fünf Uhr, ich packe nur noch schnell meine Sachen, hinterlasse den Zimmerschlüssel an der Theke, wo ich immer mit dem Wirt ein Bier trinken mußte, und dann noch einmal »Park des Friedens« und »Straße der Völkerfreundschaft« und leider auch noch einmal am Theater vorbei.

Alle meine Erwartungen beschränken sich nun auf den Zug um sechs Uhr eins. Ich werde jetzt wieder viel Zeit haben in Berlin.

Also bis ganz bald,

Anna

Anna an Eva

18.12.

Eva, etwas Schreckliches ist passiert. Etwas ganz Schreckliches. Leon ist aus dem Fenster gesprungen. In den Hof,
in dem immer die Arbeiter um den Birnbaum saßen und
ihre Stullen gegessen haben. Die Wunde am Fuß von seinem letzten Versuch war noch nicht einmal verheilt. Er hat
es wieder nicht geschafft. Er ist nicht tot. Er hat einen Zettel auf dem Tisch hinterlassen: Brief folgt.

Alan und Crille haben es mir eben erzählt, ich bin gerade aus Prenzlau zurückgekommen. In Prenzlau habe
ich alles hingeschmissen. Auch ich habs nicht geschafft.

Im Sommer war ich verliebt und wollte mich als Regis-
seurin in der Provinz behaupten. Im Herbst sind meine
Inszenierung und meine Liebe verfallen. Und nun ist es
Winter – Theater und Liebe kaputt!

Jetzt fahre ich zu Leons Mutter und lasse mir erzählen,
was geschehen ist. Eva, was soll bloß werden?

Bitte komm so bald nach Berlin, wie Du kannst.

Ich habe Dich sehr lieb und ich brauche Dich.

Anna

Alex an Anna

Montag, 21 Uhr

Anna, ich habe eine Stunde vor Deiner Tür gewartet und
jetzt mein Buch ausgelesen. (Artaud, *mußt* Du dann auch
lesen!) Wo bist Du? Die kleine Katja sagte mir, sie hätte
Dich schon mehrmals im Haus gesehen. Ich habe sehr
wichtige Sachen mit Dir zu besprechen!

Lieschen, bitte sei vernünftig und mach keinen Blödsinn!

Eva hat aus Meiningen bei meinem Nachbarn angerufen und mir erzählt, was passiert ist. Warum kommst Du nicht bei mir vorbei? Wo bist Du? Ich habe bei Deiner Mutter angerufen, die wußte es auch nicht und macht sich Sorgen.

Anna, es tut mir sehr leid. Ich weiß nicht, was ich sagen soll. Ich mag Leon nicht, und es ist sicher besser, wenn ich unsere ohnehin schlechte Beziehung nicht noch durch Mitleid weiter in den Dreck ziehe. Eva sagte mir, daß er nicht tot ist, sondern in Pankow im Krankenhaus liegt.

Ich kann mir nicht vorstellen, daß die ärgerliche Sache mit Walter damit irgend etwas zu tun gehabt haben könnte. Jedenfalls hoffe ich das.

Lieschen, sehr wichtig: Die nächsten Bernarda-Proben finden am 27. und 28. in Einars Wohnung statt, weil sie größer ist, er hat extra umgeräumt. Heiner hat wirklich alles versucht, eine wenigstens halböffentliche Aufführung, eventuell auf einer Probebühne oder in einem Kulturhaus, oder sowas Ähnliches für uns zu organisieren. Leider hat sich aber nirgends jemand gefunden, der den Mut aufgebracht hätte, uns eine noch so kleine Bühne zur Verfügung zu stellen, obwohl alle »diese Sache« und »das Projekt« »schrecklich interessant« finden. Da wir aber selber nicht ganz sicher waren, wieviel Öffentlichkeit wir eigentlich wünschen, und außerdem der Weg ja bekanntlich alles und das Ziel nichts ist, proben wir also nächsten Samstag und Sonntag vor eingeladenem Publikum, also hauptsächlich vor unseren Freunden, Familien und der »Espresso«-Belegschaft. Auch der Dramaturg aus Westberlin will kommen und noch jemand von »Theater heute« mitbringen.

Ich hoffe, das geht ohne Zwischenfälle über die Bühne

und die Genossen Geheimagenten belassen es bei den üblichen Berichten. Schließlich ist es ja nichts anderes als eine bessere Fête mit Theateraufführung.

Was mit dem »Album der Freunde« wird, weiß ich im Moment überhaupt nicht, obwohl sich in meinem Zimmer die Blätter, Manuskripte, Grafiken, Fotos usw. stapeln. Vielleicht müssen wir jetzt erst mal ein bißchen vorsichtig sein. Darüber werden wir ja noch ausgiebig reden.

Vergiß jetzt Prenzlau und reiß Dich bitte zusammen, Lieschen!

Kopf hoch, wenn der Hals auch dreckig ist! (Volksweisheit)

      Dein Alex

Dem Dramaturgen aus Westberlin habe ich neulich ein bißchen Kleingeld aus der Jackettasche geklaut und davon diese beiden Tafeln Schokolade für Dich im Intershop gekauft.

Eva an Anna

                      Berlin, 30. 12. 75

Anna,

warum bist Du abgehauen, und warum so weit weg? Als ich in Berlin ankam, warst Du nicht mehr zu finden. Wir haben auf Dich gewartet, Alex und ich und die anderen, vor Beginn der »Vorstellung«. Dann kam Deine Mutter (mit Hilde und Steffi) und teilte uns mit, Du hättest gerade aus Moskau angerufen. Ich bin also für Dich eingesprungen, denn unsere kleine Aufführung in Einars Wohnung war ja nun fest verabredet, und es hatten sich eine ganze Menge Leute eingefunden. Unsere Mütter,

Bekannte und Freunde, die drei Peter, Stefan, Carlos, Henry, David und was sonst noch im »Espresso« rumsitzt, Maria im sehr bunten Kleid in der ersten Reihe, Max Anders im grauen Pullover in der letzten, auch Matti war da (und schien traurig und erleichtert zugleich, als ich ihm sagte, daß Du Dich nach Moskau entzogen hast), aber auch einige ganz unbekannte Leute, die keiner von uns je gesehen hatte. So haben wir also »Bernarda Albas Haus« wenigstens einmal vor Publikum gespielt, auch wenn alles wahrscheinlich ein bißchen handgebastelt geblieben ist und die Stimmung gedämpft, wegen der Verhinderungsversuche aus den verschiedensten Richtungen. Heinrich ist vor ein paar Tagen zu den »Organen« bestellt worden, und man hat ihn wissen lassen, daß mehr als diese »Zimmerfestspiele« auf gar keinen Fall geduldet würden und daß seine Bilder noch eine ganze Weile im Depot von VEB Elektrokohle schmoren könnten. Auch unser Universalgenie hat Ärger bekommen und zieht es vor, sich eine Weile zu seinen Eltern nach Finsterwalde zurückzuziehen und erst einmal kein Bein sehen zu lassen.

Und doch, glaub mir, waren wir nach der Zimmervorstellung unserer »Bernarda« fast genauso berauscht wie nach einer richtigen Theateraufführung, wahrscheinlich deshalb, weil sich unser Küchen- und Kantinentraum nun an diesem Abend in etwas wenigstens Halbrichtiges und Halbwirkliches verwandelt hatte und weil wir es waren, die das auf die Beine gestellt hatten.

Am nächsten Morgen aber, als wir uns bei Alex zum Frühstück die Konfitüre auf die Schrippen schmierten, meinten wir, daß wir vielleicht einfach noch nicht reif für so etwas sind und es wahrscheinlich gar nicht ertragen könnten, unsere wohlbehüteten Träume plötzlich ganz fremden, unbekannten Menschen zu übergeben, die sie dann betrachten, beurteilen und bewerten dürfen und uns vielleicht stehlen.

Der Dramaturg aus Westberlin war auch zum Frühstück erschienen, beglückwünschte uns zur »Aufführung« brachte die frohe Botschaft, daß Alex' Stück (Rummel und Bummel) eventuell in Tübingen aufgeführt wird und erkundigte sich intensiv nach dem »Album«. Wir wußten nicht recht, ob wir ihm alles oder lieber nichts sagen sollten, und haben herumgeschwafelt. Auf dem Frühstückstisch ließ er eine Flasche Whisky stehen, bevor er ging, und versprach, sich bald wieder zu melden.

Morgen ist mein Weihnachtsurlaub zu Ende und ich werde wieder nach Meiningen zurückkehren, mir dumme Kostüme überstreifen, mich Hexe nennen lassen und auf Antwort aus Greifswald warten.

Alan und Crille waren natürlich auch in unserer Vorstellung und haben von Leons Zustand im Krankenhaus erzählt und daß er in den letzten Wochen viel Ärger und mehrmals Besuch von den »Organen« gehabt hat, sogar bei seiner Mutter sind sie aufgetaucht, und dazu muß Tini ihm noch dauernd Theater veranstaltet haben. Hinterher wissen ja immer alle Bescheid.

Deine Mutter sagte, Ilja und Walja wüßten immer eine »Gelegenheit«, um Briefe nach Moskau zu expedieren. Von ihnen habe ich mir vorhin die Anweisung geholt, morgen um Punkt neun auf dem Bahnsteig 3 des Ostbahnhofs zu stehen, dort wird ein bärtiger Mann mit fünf Koffern in den Waggon 11 einsteigen, eben die »Gelegenheit«, der ich diesen Brief mitgebe. Er ruft Dich in

Moskau an, und Du kannst den Brief bei ihm abholen. Ich glaube, unter dem Zaren konnte es auch nicht konspirativer zugehen.

Meine liebste Anna, ich denke ganz oft an uns, das mußt Du mir glauben. Und wir werden auch nicht warten, bis die Wasser abgeflossen, die doch ewig fließen, wir werden unseren Mut nicht verlieren und nicht am Boden kleben bleiben, sondern auffliegen, und sei es mit dem Zug oder zu Fuß.

In Liebe
Eva

Anna an Mum

Moskau, den 3. 1. 1976

Liebe Mum!
Bitte entschuldige, daß ich am Telefon so kurz angebunden war, es standen so viele Leute um mich herum. Ich hoffe, Du hast Dir keine Sorgen gemacht, weil ich so Hals über Kopf abgefahren bin. Moskau war der am weitesten entfernte Ort und zugleich der für mich am leichtesten erreichbare, da ich ja bereits das Visum hatte, und so habe ich mir, ohne noch weiter zu überlegen, ein Schlafwagenbillett gekauft und den Rest des Geldes, das ich in Prenzlau verdient habe, »umgerubelt«.

Ich wollte weit weg sein. Weit weg von Prenzlau und weit weg von dem Krankenhaus, in dem Leon liegt, nicht richtig tot und nicht richtig lebendig, und obwohl ich auch meine Bernarda-Truppe im Stich gelassen habe, mußte ich losfahren. Heute morgen habe ich mir in einem Moskauer Neubaubezirk einen Brief von Eva abgeholt, in dem ein kurzer Bericht über die gelungene Aufführung steht und daß Du mit Hilde und Steffi in der Vorstellung warst. Darüber habe ich mich sehr gefreut und mir einen Moment lang gewünscht, dabeigewesen zu sein. Aber in Wirklichkeit erreichen mich diese Nachrichten nur wie aus einer fernen Welt, denn seit ich in Prenzlau alles hingeschmissen und von Leons Selbstmordversuch erfahren habe, ist mir fast jeder Gedanke und Wunsch abhanden gekommen, außer dem, weit weg zu sein. Ich fürchte, ich habe in den Tagen in Berlin die Wohnung, die Du mit Frau Kluge so gründlich in Ordnung gebracht hast, wieder genau in den alten Zustand zurückversetzt. Hoffe bloß, die Nachbarn können nicht durch die Wände gucken.

Ich habe fünf große Ölbilder gemalt. Im »Künstlerbedarf« in der Oranienburger Straße hatten sie gerade große Formate von grundierten Leinwänden im Ausverkauf, ich habe also gleich fünf davon gekauft, und Wolfgang Eber, den ich im Geschäft traf, hat sie mir mit dem Auto nach Hause gebracht. Dann habe ich sie bemalt, die fünf Leinwände. Zwei Landschaften, zwei Akte, ein Porträt – vielleicht Eva, vielleicht ich. Ich hatte Sehnsucht nach einer sehr einsamen Arbeit und habe deshalb auch niemandem die Tür aufgemacht und mich bei niemandem gemeldet, wie Du weißt, nur Radio gehört, um eine Stimme zu hören, vom »Mittagsmagazin« bis zum »Blickpunkt am Abend«. Dann habe ich meine Tasche gepackt und bin losgefahren.

Mum, ich schwöre Dir, daß Leon Walter die Heym-Handschrift ohne mein Wissen übergeben hat, und ich war darüber sehr böse, Leon hat das nicht verstehen wollen. Danach haben wir nicht mehr miteinander gesprochen und nichts mehr voneinander gehört.

Als ich Leon im Sommer in der Einsiedelei kennengelernt habe, hatte er gerade einen Selbstmordversuch hinter sich, das habe ich Dir nicht erzählt, damit Du Dich
nicht noch mehr beunruhigst, als Du es sowieso schon
tust. Ich habe mich trotzdem in ihn verliebt, und auch
Eva hatte sich in ihn verliebt. Vielleicht war es ja gerade
sein Mut, einfach alles loszulassen, der uns angezogen
hat. Das erschien uns wenigstens konsequenter als unsere Lahmheit und Faulheit und die ewigen Klagen darüber. Eva hat sich schnell wieder von ihm zurückgezogen, während ich ihm immer weiter entgegengestürzt
bin, aus lauter Liebe und Verliebtheit, weiß Gott warum.
Jetzt hoffe ich für seine Mutter, daß er wieder gesund
wird, und für mich, daß ich ihn nie wiedersehen muß.

Diese lange Fahrt nach Moskau, die ständige Entfernung hat mir gutgetan. Ein Tag im Zug, eine Nacht im
Zug und noch einen Tag im Zug. Sitzen, Tee trinken, aus
dem Fenster sehen, auf diese unendliche Ebene, die sich
wohl bis zum Ural zieht. Erst Polen. Wahrscheinlich weil
es Samstag war, schien das ganze Land, bis an den Rand
von Warschau, damit beschäftigt, auf irgendeinem winzigen Stück Feld, Garten oder Hof zu wirtschaften, zu
bauen, zu basteln, zu graben oder zu hacken. Bis zum
späten Abend im ganzen Land das gleiche geschäftige
Bild eines ununterbrochen werkelnden Volkes vor den
Zugfenstern. Am nächsten Tag Belorußland – die gleiche flache Gegend mit Sümpfen und Seen und winzigen
Holzhäusern, die überall Ornamente tragen, sogar den
Betonzäunen haben sie in einem offensichtlich unbändi-
gen Gestaltungswillen noch Ornamente aufgezwungen.

Und ich saß im Zug und habe die wenig wechselnden
Landschaften teilnahmslos betrachtet, froh, mit nieman-

dem sprechen zu müssen, nur »bitte, danke« beim Tee-Holen und »Entschuldigung, darf ich mal vorbei«, zu den etwas furchterregenden Männern, die in ihren Trainings-anzügen im Gang herumhängen. Dort im Zug habe ich endlich auch weinen können. In dem klappernden Zug, der gleichgültig seine Route fuhr, mitten unter den frem-den Menschen, die mit ihren eigenen Angelegenheiten beschäftigt waren, habe ich endlich über meine Nieder-lage in Prenzlau und das Unglück mit Leon heulen kön-nen und darüber nachzudenken versucht, warum alles gekommen ist, wie es gekommen ist. Aber weder das Heulen noch das Nachdenken haben mir Trost oder Er-kenntnis gebracht, da habe ich mir gesagt, gut, ich werde mich in meinen Schmerz hineinfallen lassen und dann meine Wunden lecken.

Bei der üblichen schwachsinnigen vierfachen Paß- und Zollkontrolle und bei der Durchsuchung des Abteils ha-ben sie die unzähligen Antibabypillen doch nicht gefun-den, mit denen ich nun in Mischkas Auftrag die Lieben-den von Moskau beglücke. Ich hatte die Pillen aus den Schachteln genommen und sie vorsichtshalber unters Hemd gesteckt.

Mischka und Nahum haben mich am Bahnhof abge-holt. Ich schlafe in ihrem Wohnzimmer auf dem Sofa. Am nächsten Tag habe ich mich ganz nach Vorschrift bei der Miliz angemeldet, mit einem größeren Paket Kosmetika für die Damen, die in Mischkas Wohngebiet ausschließ-lich bei der Miliz Dienst tun; auf diese Weise sichert sie sich eine höhere Besucherquote als offiziell erlaubt.

Die Tage seitdem sind schnell vergangen. Wir sitzen in der Küche, unterhalten uns untereinander oder mit den zahlreichen Besuchern, die jeden Tag vorbeikommen und die neuesten Nachrichten und Manuskripte bringen. Viele alte Bekannte und Freunde sind inzwischen nach I. ausgewandert oder bereiten sich auf die Auswanderung vor, und alle hier hoffen auf eine Erleichterung des Lebens und Reisemöglichkeiten durch die Helsinki-Verträge. Mischka hat einen Visumsantrag für eine Reise nach Frankreich gestellt, weil sie dort noch alte Komintern-Freunde hat und davon träumt, Paris wiederzusehen.

Am Neujahrstag sind wir nach Peredelkino rausgefahren. Alles weiß, hoher Schnee. Zuerst haben mich Mischka und Nahum zu Pasternaks Grab geführt, an dem wir ein paar Minuten zusammen geschwiegen haben, und danach haben wir alle ihre Freunde besucht, die dort wohnen oder eine Datscha haben, einen ganzen Schriftstellerwohnblock gibt es dort, jedenfalls laufen dir, wenn du in Peredelkino spazierengehst, nur Schriftsteller, Übersetzer, Literaten und ausnahmsweise mal einer vom Theater über den Weg, und dann mußt du erst bei dem einen Tee trinken und dir dann bei dem anderen etwas ansehen, anhören, über Literatur und Politik diskutieren, und Briefe und Nachrichten von Ausgewanderten und Ausgewiesenen werden ausgetauscht.

Der eigentliche Grund unseres Peredelkino-Ausflugs aber war der Besuch bei Jewgenija Semjonowna, Mischkas Lagergenossin aus Magadan; ich wollte ihr unbedingt sagen, wie wichtig ihr Erinnerungsbuch über den Gulag für uns alle gewesen ist, vielleicht das wichtigste Buch überhaupt, eine Art Erdbeben wie die Bücher von S., und ich habe ihr beschrieben, auf welch komplizierten Wegen es bis zu uns gelangt ist und wie es dann im Kreis der Freunde und Bekannten herumgeborgt wurde, genauso wie die Bücher von S. Sie war schrecklich gerührt, als sie das hörte, und hat mich gleich gebeten, sie Shenja zu nennen. Ihr Sohn Wassja, der auch Schriftsteller ist, war gerade zu Besuch, und bald tauchten auch mehrere Saschas auf, begleitet von einigen Ninas und Irinas, und dann im Laufe des Nachmittags immer noch mehr Leute. In Anbetracht der plötzlich so zahlreichen Gesellschaft bat Shenja ihren Sohn, den Koffer vom Schrank herunter- und aus dem Koffer Gläser und Konfekt herauszuholen, die sie dort für »besondere Anlässe« aufbewahrt. Jetzt war es offensichtlich soweit, aus der Küche wurde der Tisch ins Zimmer gehievt, während die Ninas und Irinas in der winzigen Küche ein paar Sakuskis improvisierten, und langsam verwandelte sich der Nachmittag in den Abend und der Abend in ein kleines Fest, rauchen allerdings mußte man draußen auf der Treppe, die zum Garten führt, denn in dem Zimmer wurde es langsam etwas eng. Auf den Stufen zum Garten, beim Rauchen, sagte mir Wassja, das sei nun also das Abschiedsfest, das er eigentlich hätte vermeiden wollen, denn in der nächsten Woche werde auch er ausreisen, zunächst nach I., wie alle, hoffe aber, später eine Gelegenheit zu finden, weiter nach A. auszuwandern, dort wolle er dann leben und auch seine Mutter hinüberbringen, wenn sie noch die Kraft dafür fände.

Erst spät nachts ist das kleine Fest zu Ende gegangen, wir sind mit dem letzten Zug zurück nach Moskau gefahren, in so einer überheizten Bahn, auf der in großen Lettern zu lesen ist, daß sie aus dem Jahre 1937 stammt. Und da, in dem überheizten Zug, hat mich Mischka plötzlich gefragt, wie ich mir meine Zukunft vorstelle.

Wenn ich das wüßte.

Jetzt allerdings ruft sie gerade, ich soll in die Küche Tee trinken kommen, und läßt noch fragen, ob Du ihr einmal das Rezept der »Linzer Torte« mitschicken könntest, und wünscht »bonne année«. Nach dem Tee gehe ich zur Komsomolkskaja und bringe den Brief sechs Metrostationen weiter zu einer »Gelegenheit«. Da sie mit dem Flugzeug reist, wirst Du den Brief hoffentlich schon morgen erhalten.

Alles, alles Liebe, bis bald!

Anna

Brieffolge

Das Gedicht auf Seite 60 stammt von Thomas Brasch, dem ich
für die freundliche Zustimmung zum Abdruck danke.

Thomas Brasch: *Kargo*. © Suhrkamp Verlag Frankfurt/M. 1977.

Anna Mitgutsch im dtv

»Hier ist eine Autorin am Werk, die in puncto
psychologischer Kompetenz nicht
so leicht ihresgleichen hat.«
Dietmar Grieser in der ›Welt‹

Die Züchtigung
Roman
ISBN 3-423-10798-7
Eine Mutter, die als Kind
geschlagen und ausgebeutet
wurde, kann ihre eigene
Tochter nur durch Schläge
zu dem erziehen, was sie
für ein »besseres Leben«
hält. Ein literarisches
Debüt, das fassungslos
macht. »Dieses Buch muß
gelesen werden…, weil es
eines der wenigen Bücher
ist, die in ihren Leser/innen
etwas bewirken, etwas
bewegen, vielleicht auch
etwas verändern.«
(Ingrid Strobl in ›Emma‹)

Das andere Gesicht
Roman
ISBN 3-423-10975-0
Sonja und Jana verbindet
von Kindheit an eine fragile,
sich auf einem schmalen
Grat bewegende Freund-
schaft. Später gibt es
Achim, den beide lieben,
der beide begehrt, der sich –
ein abenteuernder, egozen-
trischer Künstler – nicht
einlassen will auf die
Liebe…

Ausgrenzung
Roman
ISBN 3-423-12435-0
Die Geschichte einer Mutter
und ihres autistischen Soh-
nes. Eine starke Frau und
ein zartes Kind erschaffen
sich selbst eine Welt, weil
sie in der der anderen nicht
zugelassen werden.

In fremden Städten
Roman
ISBN 3-423-12588-8
Eine Amerikanerin in
Europa – zwischen zwei
Welten und keiner ganz
zugehörig. Sie verläßt ihre
Familie in Österreich und
kehrt zurück nach Massa-
chusetts. Doch ihre Erwar-
tungen wollen sich auch
hier nicht erfüllen…
»Mitgutsch schreibt, als
ginge es um ihr Leben.«
(Erich Hackl in der ›Zeit‹)

Haus der Kindheit
Roman
ISBN 3-423-12952-2
Heimat, die es nur in der
Erinnerung gibt: eine ein-
dringliche Geschichte vom
Fremdsein.

Angelika Schrobsdorff im dtv

»Die Schrobsdorff hat ihr Leben lang nur
wahre Sätze geschrieben.«
Johannes Mario Simmel

Die Reise nach Sofia
ISBN 3-423-10539-9
Sofia und Paris – ein Bild
zweier Welten: Beobach-
tungen über Konsum und
Liebe, Freiheit und Glück
in Ost und West.

Die Herren
Roman
ISBN 3-423-10894-0
Ein psychologisch-eroti-
scher Roman, dessen Erst-
veröffentlichung 1961 als
skandalös empfunden
wurde.

**Jerusalem war immer
eine schwere Adresse**
ISBN 3-423-11442-8
Ein Bericht über den Auf-
stand der Palästinenser, ein
sehr persönliches, mensch-
liches Zeugnis für Versöhnung und Toleranz.

Der Geliebte
Roman
ISBN 3-423-11546-7
Stationen einer Liebe:
Berlin, München, New York.

**Der schöne Mann und
andere Erzählungen**
ISBN 3-423-11637-4

**Die kurze Stunde
zwischen Tag und Nacht**
Roman
ISBN 3-423-11697-8

**»Du bist nicht so wie
andre Mütter«**
Die Geschichte einer
leidenschaftlichen Frau
ISBN 3-423-11916-0

Spuren
Roman
ISBN 3-423-11951-9
Ein Tag aus dem Leben
einer jungen Frau mit
einem achtjährigen Sohn.

Jericho
Eine Liebesgeschichte
ISBN 3-423-12317-6
und dtv großdruck
ISBN 3-423-25156-5

Grandhotel Bulgaria
Heimkehr in die
Vergangenheit
ISBN 3-423-12852-6
Eine Reise nach Sofia heute.

**Von der Erinnerung
geweckt**
ISBN 3-423-24153-5
Ein Leben in fünfzehn
Geschichten.

Binnie Kirshenbaum im <u>dtv</u>

»Wer etwas vom Seiltanz über einem Vulkan lesen will,
also von den Erfahrungen einer kühnen Frau mit dem
männlichen Chaos, dem sei Binnie Kirshenbaum
nachdrücklich empfohlen.«
Werner Fuld in der ›Woche‹

**Ich liebe dich nicht und
andere wahre Abenteuer**
ISBN 3-423-**11888**-1
Zehn ziemlich komische
Geschichten über zehn
unmögliche Frauen.

**Kurzer Abriß meiner
Karriere als Ehebrecherin**
Roman
ISBN 3-423-**12705**-8
Eine junge New Yorkerin,
verheiratet, linkshändig, hat
drei außereheliche Affären
nebeneinander. »Am Ende
fragt sich der Leser amü-
siert: Gibt es eine elegantere
Sportart als den Seiten-
sprung?« (Franziska
Wolffheim in ›Brigitte‹)

Mermaid Avenue
Roman
ISBN 3-423-**12787**-2
Ich, meine Freundin und all
diese Männer … Mona und
Edie haben sich im College
kennengelernt und sofort
Seelenverwandtschaft fest-
gestellt. Sie sind entschlos-
sen, ein denkwürdiges
Leben zu führen. Und
dabei lassen sie nichts aus.

**Als hielte ich den
Atem an**
Roman
ISBN 3-423-**12979**-4
Lila ist Lyrikerin. Über Sex
weiß sie alles, nur die Liebe
war ihr bislang noch fremd.

Keinen Penny für nichts
<u>dtv</u> premium
ISBN 3-423-**24128**-4
Verrückte Geschichten von
verletzlichen Frauen, leicht-
sinnig und mit abgrund-
schwarzem Humor.

**Entscheidungen in einem
Fall von Liebe**
Roman · <u>dtv</u> premium
ISBN 3-423-**24347**-3
Eine jüdische New Yorkerin
kommt nach München.
Ist Liebe die Antwort auf
heikle Fragen nach der
Vergangenheit?

Kleine Philosophie der
Passionen
Flohmärkte
ISBN 3-423-**20610**-1

Christa Wolf im dtv

»Grelle Töne sind Christa Wolfs Sache nie gewesen;
nicht als Autorin, nicht als Zeitgenossin hat sie je zur
Lautstärke geneigt, und doch hat sie nie Zweifel an
ihrer Haltung gelassen.«
Heinrich Böll

Der geteilte Himmel
Erzählung
ISBN 3-423-00915-2
Eine Liebesgeschichte zur
Zeit des Mauerbaus in
Berlin. Die einzige gültige
Auseinandersetzung mit
den Jahren der deutschen
Teilung.

Kassandra
Erzählung
ISBN 3-423-11870-9
Auf den Spuren der älte-
sten Tochter des Königs
Priamos von Troia. »Die
Geschichte einer weib-
lichen Ich-Findung.«
(Therese Hörnigk)

**Voraussetzungen einer
Erzählung: Kassandra**
Frankfurter Poetik-
Vorlesungen
ISBN 3-423-11871-7
Bericht über eine Griechen-
landreise und über »weib-
liches« Schreiben.

Auf dem Weg nach Tabou
Texte 1990–1994
ISBN 3-423-12181-5

Medea. Stimmen
Roman
ISBN 3-423-12444-X
und dtv großdruck
ISBN 3-423-25157-3
Der Mythos der Medea,
Tochter des Königs von
Kolchis – neu erzählt. »Der
Roman hat Spannungs-
elemente eines modernen
Polit- und Psychokrimis.«
(Thomas Anz in der
›Süddeutschen Zeitung‹)

Hierzulande Andernorts
Erzählungen und andere
Texte 1994–1998
ISBN 3-423-12854-2

**Die Dimension des
Autors**
Essays und Aufsätze,
Reden und Gespräche
1959–1985
ISBN 3-423-61891-4

Marianne Hochgeschurz:
**Christa Wolfs Medea
Voraussetzungen zu
einem Text**
ISBN 3-423-12826-7

Maxie Wander im dtv

»Mich interessiert, wie Frauen ihre Geschichte erleben,
wie sie sich ihre Geschichte vorstellen.«

Guten Morgen, du Schöne
Protokolle nach Tonband
ISBN 3-423-11761-3

19 Frauen erzählen von sich und ihren Gefühlen, ihrer
Familie, ihrer Arbeit, ihren Männern, sie äußern sich über
Liebe und Sexualität, über Politik, über ihre Ansicht von
der »richtigen« Art zu leben. Ein Kultbuch der Frauen-
literatur.

»Das Erstaunlichste in diesen Berichten ist der Witz,
die Lustigkeit, die Ironie und Selbstironie – allerdeutlich-
stes Zeichen einer Selbstbefreiung.« (Kyra Stromberg) –
»Ein aufregendes Buch ... für jedermann, gleich, welchen
Geschlechts.« (Manfred Jäger)

Leben wär' eine prima Alternative
Tagebücher und Briefe
Herausgegeben von Fred Wander
ISBN 3-423-11877-6

»So, als wollten wir Zwiesprache halten mit dieser phanta-
siereichen, temperamentvollen und mutigen Frau, die bis zu
ihrem Tod nicht nur gegen die Krankheit ankämpfte, sondern auch gegen die eigene Unzulänglichkeit, blättern wir in
ihren Aufzeichnungen.« (Barbara Gräfe)

Ein Leben ist nicht genug
Tagebuchaufzeichnungen und Briefe
Herausgegeben von Fred Wander
ISBN 3-423-12159-9

Aus diesen ganz privaten Aufzeichnungen von einer
Parisreise, aus Tagebuchnotizen und Briefen an Freunde
entsteht das Bild einer klugen, neugierigen, mutigen Frau,
die immer auf der Suche nach dem Leben war und diese
Suche schöpferisch verarbeitet hat.